Éditions du Moment
15, rue Condorcet
75009 Paris
www.editionsdumoment.com

George Clooney,
une ambition secrète

Maëlle Brun, Amelle Zaïd

George Clooney,
une ambition secrète

ÉDITIONS DU MOMENT

INTRODUCTION

Nous sommes le 12 février 2016, sur Instagram. Entre photos de chats et *food-porn*, le réseau social ronronne. Quand soudain, les cent quarante mille abonnés au compte d'Angela Merkel ont une drôle de surprise. La chancelière allemande poste un cliché d'elle buvant un thé avec des invités inattendus : George et Amal Clooney. L'acteur est là pour défendre son film *Ave, César !* au Festival de Berlin. Mais il a tenu à glisser dans son agenda promotionnel une parenthèse diplomatique pour évoquer la guerre en Syrie. «*Ma femme et moi voulions avoir une entrevue avec la Chancelière parce que l'Allemagne joue un rôle déterminant dans la crise des réfugiés*, confie-t-il au *Figaro*. *Les autres pays sont à la traîne, y compris le mien, les États-Unis. Nous n'accueillons que dix mille réfugiés par an, c'est une honte. Notre aide est insuffisante*[1].» Ce jour-là, Angela Merkel

---

1. Entretien accordé au *Figaro*, le 12 février 2016.

écoute attentivement son discours, comme s'il émanait d'un responsable politique. George Clooney est devenu un diplomate d'un nouveau genre, avec lequel il faut désormais compter.

Depuis des années, ses engagements humanitaires lui ont conféré une stature internationale. Et dans son propre pays, il est plus qu'un compagnon de route du Parti démocrate, où il est réputé pour son incroyable capacité à lever des fonds. Reste à savoir si son action pourrait l'entraîner au-delà. Pourrait-il un jour rejoindre ce Bureau ovale où il a parfois été invité par son ami Barack Obama ? Aux États-Unis, beaucoup le pensent. « *George Clooney est devenu un acteur "présidentiable"*, analyse le sociologue Guillaume Erner dans *La Souveraineté du people*. *Des ambitions politiques lui ont été prêtées, l'intéressé a mollement démenti, et aujourd'hui une telle éventualité ne peut plus être considérée comme une chimère*[1]. »

Au fil des années, George Clooney s'est mué en véritable animal politique. Une stature acquise par une stratégie de communication pensée de longue date. Derrière l'humour et le charme, la star cache en effet une personnalité moins lisse que son image ne le laisse penser.

---

1. Guillaume Erner, *La Souveraineté du people*, Gallimard, 2016.

Introduction

« *What else?* », nous répète-t-il depuis dix ans dans les spots Nespresso. Nous avons eu envie de lui retourner la question. « Quoi d'autre », donc, chez George Clooney ? De Hollywood au Lac de Côme, du Darfour à Washington : retour sur le parcours d'un gosse du Kentucky qui pourrait, comme en rêvait son père, devenir le nouveau Kennedy.

I

UNE ENFANCE SOUS INFLUENCE

« Mon père est un idéaliste, et c'est plus facile
d'être le pote d'un idéaliste que son enfant,
parce que les idéalistes veulent faire de leurs enfants
des exemples pour la société. »

George Clooney

Un regard franc et brillant, une voix caressante et un charisme magnétique. Depuis plus de vingt ans, George Clooney captive son auditoire. Avec détachement et décontraction, l'homme trouve toujours les bons mots. Sa force ? Son côté caméléon, lui qui sait passer en un claquement de doigts de l'icône intouchable au bon pote avec qui boire des bières. Taquin dans les spots Nespresso, passionné dans ses films politiques, drôle et amical face à l'animateur David Letterman, extrêmement grave à l'ONU pour évoquer la situation au Darfour... George révèle une personnalité multiple, qui s'adapte à ses différents objectifs. Mais comment l'acteur s'est-il forgé cette maîtrise de la communication ? Et à quel moment a-t-il réussi à créer un personnage médiatique qui ne semble jamais le quitter ? La réponse trouve sa source dans son enfance.

Retour dans les années soixante et soixante-dix, quand son père, Nick Clooney, ne peut faire un pas dans la rue sans être reconnu. Journaliste, il est devenu en quelques années un notable de son Kentucky natal, où il présente le journal télévisé. La mère de George, Nina Bruce Warren, ex-reine de beauté, est également très engagée sur la scène politique et sociale de sa ville de Lexington, et se fait, elle aussi, souvent arrêter par des gens lors de ses promenades. En tant qu'enfants du couple formé par Nick et Nina, George et sa grande sœur Adelia doivent donc se tenir à carreau et surtout ne pas faire de vagues dans la bourgade, où tout le monde connaît et apprécie leurs parents.

C'est dans ce contexte familial particulier que le jeune George Clooney a développé son sens aigu du self-control. Il est pour lui hors de question de décevoir sa mère, ou – bien plus grave encore – son père.

Entre vie publique et vie privée

Aujourd'hui âgé de quatre-vingt-deux ans, Nick Clooney a joué un rôle décisif dans la vie et la carrière de son unique fils. George lui voue un amour et une admiration sans bornes. Et il n'hésite jamais à le remercier en public pour tout ce qu'il lui a appris. En effet, Nick a rapidement su déceler le potentiel de son fils. Dans une longue interview réalisée en mars 2010 par la chaîne américaine ABC News, pour l'émission *Before They Were Famous*, il révélera avoir pressenti que ce petit garçon blagueur deviendrait un artiste. «*Je savais qu'il allait de près ou de loin se diriger vers une carrière où il aurait un public en face de lui. C'était évident, depuis toujours. George a ce truc, cette capacité à captiver les gens, à les faire marrer. Mais surtout, il aime vraiment ça !*»

Nick étant une célébrité locale, la famille est régulièrement invitée à des mondanités, où les enfants se doivent d'afficher leurs bonnes manières. George et Adelia ont ainsi rapidement assumé une sorte de dédoublement de la personnalité. Entrer dans un rôle et prendre une posture, serrer des mains, faire la conversation, répondre poliment une dizaine de fois à la même question... Très jeune, George prend le pli des frivolités médiatico-politiques. Cette immersion dès l'enfance a été pour lui une sorte d'entraînement, qui lui permet aujourd'hui d'être aussi juste en public. En observant ses parents et leur entourage, il a pu décrypter les règles tacites de ce jeu social et apprendre à cloisonner hermétiquement vie privée et vie publique. Nick et Nina se révéleront de véritables virtuoses en la matière. En baignant dans ce contexte schizophrénique, George Clooney a intégré les premières gammes qui lui permettront de devenir l'acteur que l'on connaît.

Voici ce qu'il raconte lorsqu'il se remémore aujourd'hui cette époque : « *Mes parents étaient tellement soucieux de renvoyer une bonne image qu'il fallait toujours faire attention à notre tenue, à la façon d'utiliser une fourchette. Et je manquais totalement d'assurance dans ce domaine. C'était même très perturbant pour moi. C'était comme si j'avais deux familles différentes*[1]. » Chez les Clooney, il est impératif de porter un masque en société. Un autre récit le prouve bien : « *Parfois, dans la voiture, papa et maman ne se parlaient pas parce qu'ils étaient en colère l'un contre l'autre. Et ma sœur et moi nous disputions à l'arrière. Puis quelqu'un ouvrait la portière. Et l'on découvrait tous ces gens qui nous attendaient. D'un geste, mon père enlaçait ma mère et lui lançait : "C'est formidable hein Nina ? Hein, c'est formidable ?" Et elle répondait automatiquement avec un grand sourire : "Oh, c'est si beau d'être là, n'est-ce pas les enfants ?" Et là nous renchérissions avec un : "Oui, c'est génial d'être là !" Et voilà comment,*

---

1. Entretien accordé à *Parade*, juin 1998.

en un clin d'œil, nous nous transformions en famille idéale. Et au moment de repartir, de retour dans la voiture, on retrouvait ce silence absolu incroyablement lourd et pesant[1].» « Renvoyer une belle image », « se transformer en famille idéale »… le vocabulaire ressemble à celui d'un brief de publicitaire pour des biscuits apéritifs. Or il s'agit des souvenirs d'enfance de l'un des acteurs les plus *bankable* de la planète. Avec l'apprentissage, très tôt, des notions de jeu social, de manipulation et de calcul. La jeune vie de la star ressemble à une partie de poker géante, de celles qu'il disputera plus tard dans la saga des *Ocean's*.

D'un naturel plutôt spontané et imprévisible, George Clooney a dû apprendre à canaliser ses émotions et à contenir ses réactions. Pleinement guidé par son père, il s'est donc comporté comme s'il était lui-même une personnalité exposée. Le conditionnement portera ses fruits : lorsque, quelques années plus tard, le succès frappe à sa porte, grâce à la série *Urgences*, l'acteur âgé de trente-trois ans sait exactement comment affronter la vie publique. Les débordements, les coups d'éclat, les bagarres et les insultes, il les laisse à d'autres. Des vedettes qui n'ont pas eu la chance d'être élevées par Nick et Nina Clooney…

---

1. Entretien accordé à *Esquire*, janvier 2014.

Nick Clooney : virtuose du *personal branding* et du storytelling

George Clooney voit le jour le 6 mai 1961, à Lexington, au fin fond d'un État, le Kentucky, où l'on cultive le chanvre, le tabac et où la chaîne de fast-food KFC a été fondée en 1930.

Nick Clooney choisit d'appeler son fils George, en hommage à son oncle adoré, George Guilfoyle, un pilote ayant accompli de nombreuses missions au sein de l'aviation américaine pendant la Seconde Guerre mondiale. L'homme était « *élégant et plein de charme* », précise Nick. Il avait aussi pour signe distinctif cette paire de sourcils bien fournis dont George Clooney héritera. « *Il était exceptionnel et fascinant. Il nous expliquait souvent comment était sa vie de pilote de bombardier. C'était un vrai personnage, il avait un charisme fou. Il illuminait l'espace lorsqu'il entrait dans une pièce*[1] ! » explique l'acteur. De retour de la guerre, George Guilfoyle trouve un travail à la radio locale. C'est d'ailleurs cette expérience qui influencera Nick Clooney dans son choix de carrière. Lorsqu'il revient à son tour du service militaire en Allemagne, où il était devenu le disc-jockey attitré des troupes américaines, celui-ci s'oriente naturellement vers le journalisme.

---

1. Entretien accordé à *Esquire*, janvier 2014.

À la naissance de George, son père est donc déjà une personnalité connue et reconnue à Lexington, où il présente depuis cinq ans le journal du soir. La silhouette élancée, toujours très bien mis, il se distingue par sa démarche assurée. Sa sœur aînée, Rosemary Clooney, décédée en 2002 à l'âge de soixante-quatorze ans, est devenue dans les années cinquante une immense star du music-hall. « Hey There » et « Come On-A My House », ses chansons phares, caracolent au sommet des hit-parades de l'époque. Rosemary s'illustrera aussi au cinéma en 1953 dans le film *The Stars Are Singing*. Au cœur de cette époque reconstituée à merveille par la série *Mad Men*, la société de consommation se met en place au rythme du pouvoir d'achat qui augmente et des postes de télévision qui envahissent les foyers. C'est dans ce contexte très particulier que Nick apprend les codes de ce que la génération connectée d'aujourd'hui appelle le « *personal branding* » – soit la façon de développer et maîtriser son image pour apparaître sous son meilleur jour. Nick Clooney semble s'être fortement inspiré du portrait de la famille idéale longtemps utilisé dans les réclames de l'époque. Monsieur y porte une chemise impeccablement repassée, madame arbore son plus beau tablier, et les enfants sont parfaitement calmes devant une part de tarte aux cerises. Une ambiance que le journaliste a reproduite, mettant souvent en avant son propre foyer, à la condition que chacun soit irréprochable. Si George et Adelia accompagnent leur père lors de ses sorties publiques, c'est avant tout pour le soutenir.

Nick Clooney les mettra également en scène dans ses émissions. «*Nous y apparaissions souvent*, confiait George en 2011 à *Rolling Stone*. *Ma sœur et moi n'aimions pas ça, mais nous y étions obligés. C'est la loi du show-business : nous devions divertir*[1] *!*» Le journaliste n'a jamais hésité non plus à instrumentaliser l'image de George à des fins personnelles, intégrant déjà à l'époque la puissance du storytelling pour faire passer des messages forts. «*Lorsque Bobby Kennedy a été assassiné, mon père était journaliste à la télévision de Columbus, dans l'Ohio. C'était juste après la mort de Martin Luther King, une période vraiment compliquée*, explique la star en 2005. *Je me souviens qu'il est subitement entré dans ma chambre et m'a dit : "Donne-moi tes pistolets ! Donne-les-moi tous !" Rapidement, je me suis exécuté et je lui ai tendu tous mes pistolets en plastique et plein d'autres jouets du même genre. Bref, tout ce qui ressemblait à une arme. Il a tout mis dans un sac, et le lendemain il s'est rendu dans un show télévisé et a annoncé au public : "Regardez, mon fils m'a donné ses jouets. Il m'a dit qu'il ne voulait plus jamais s'amuser avec." Bien entendu, il avait fait ça pour marquer le coup, et*

---

1. Entretien accordé à *Rolling Stone*, novembre 2011.

c'était important à ce moment-là de donner l'exemple. Ça a été un très grand moment de télévision. Mon père avait compris que le message serait perçu avec plus de force si cela venait d'un petit garçon de sept ans. *C'était donc intelligent de sa part de m'utiliser* [1] », reconnaît-il.

Le plus important aux yeux de Nick Clooney est d'orchestrer parfaitement ses interventions, afin de créer des *« séquences »* télé mémorables. En exploitant l'équation émotion + bonne histoire, il a, en quelque sorte, trouvé la formule magique pour faire passer des messages politiques par le divertissement. Un schéma ô combien efficace que son fils reproduira quelques années plus tard...

L'instruction civique

Pendant les quinze premières années de sa vie, George a baigné dans un contexte politique et social intense. Le peuple américain est en ébullition, la population afro-américaine s'est soulevée pour abolir la ségrégation raciale. De nombreuses personnalités qui ont défendu publique-ment cette idée l'ont payé de leur vie, tel Malcolm X en février 1965 ou Martin Luther King en avril 1968.

Le coin d'Amérique profonde où vivent les Clooney est particulièrement raciste, et George se souvient que son père

---

1. Entretien accordé à *Esquire*, janvier 2005.

montait au créneau dès qu'il entendait le moindre propos désobligeant sur les Noirs. Très souvent, au restaurant, Adelia et George étaient pressés par leur mère de terminer leur dessert parce qu'une insulte raciste avait été proférée. D'expérience, elle savait que son époux allait vivement réagir, et qu'il faudrait déguerpir avant que la situation ne s'envenime.

Des convictions puissantes que Nick Clooney s'emploiera à inculquer à ses enfants. George se souvient ainsi avec une grande précision du soir où, en revenant de l'école, il avait été houspillé par son père pour avoir gardé le silence alors que l'un de ses camarades se faisait taxer de « *nègre* » par un autre garçon. L'acteur expliquera son manque de bravoure ce jour-là en ces termes : « *D'habitude, quand j'entendais quelqu'un utiliser le mot "nigger", je démarrais au quart de tour et je lui sautais dessus pour me bagarrer. Mais malheureusement pour moi, je ne savais absolument pas me battre. La plupart du temps je me prenais de grosses raclées. Alors parfois, je faisais comme si je n'avais rien entendu*[1]. » Reproduire le schéma imposé par la figure paternelle n'est pas toujours évident… Mais les injustices et les crispations sociales de l'époque lui ont donné l'envie de le faire. Pour se conformer, déjà, à l'une des citations

---

1. Entretien accordé à *Esquire*, janvier 2005.

fétiches du clan Clooney : « *Il faut toujours aider ceux qui ont moins de pouvoir que vous et défier ceux qui en ont plus.* »

Une éducation stricte

Chez les Clooney, l'éducation s'appuie en outre sur une discipline sévère. George l'a d'ailleurs lui-même expliqué dans le magazine *Parade* en juin 1998 : « *J'ai eu des parents très stricts. Mon père avait beau appartenir au Parti démocrate et avoir une grande ouverture d'esprit, il était tout sauf laxiste. Ma mère se montrait moins sévère que lui, même si aucun des deux ne plaisantait avec la discipline. Ils avaient une énorme confiance en leurs capacités ainsi qu'en celles de leurs enfants. Nous avions toujours l'impression que le succès serait forcément au bout du chemin si nous nous comportions bien*[1]. »

Quand George est adolescent, son père, estimant qu'il ne s'instruit pas assez, dépose sur son lit des livres d'histoire, et de stratégies militaires. Cette sélection littéraire a évidemment contribué à façonner sa conscience politique. Un intérêt aussi éveillé par les heures passées à écouter les conversations entre collègues, dans les studios où Nick

---

1. Entretien accordé à *Parade*, juin 1998.

réalise ses journaux. La rédaction fait alors régulièrement office de garderie pour lui et sa sœur. «*Dès l'âge de quatre ans, j'y traînais très souvent. […] La télévision était ma baby-sitter*[1]», se rappelle-t-il. À l'époque, George regarde chaque soir le journal télévisé de son père. Et lorsque celui-ci revient du travail, ils en débattent ensemble. «*On passait des heures à discuter lui et moi pendant le dîner, a raconté Nick Clooney en 2010 à la chaîne ABC News. Mais aussi dès le matin au petit déjeuner et le week-end quand on avait plus de temps à passer ensemble. On évoquait les difficultés de notre pays et les différentes solutions que l'on pourrait apporter*[2].» Ce n'est d'ailleurs pas un hasard si plus tard, George, comme son père, étudiera le journalisme.

La politique en héritage : les Kennedy du Kentucky

Le rôle de patriarche endossé par Nick Clooney et ses ambitions pour son fils rappellent la relation d'un autre duo père-fils légendaire : Joseph Patrick et John Fitzgerald Kennedy. Ils possèdent en commun leurs origines irlandaises, la famille Clooney ayant fui la Grande Famine pour s'installer au Kentucky en 1852. Mais ils partagent surtout une stratégie de mise sur orbite des fils par leurs pères. Le

---

1. Entretien accordé à la BBC, le 6 février 2006.
2. Entretien accordé à ABC News, *Before They Were Famous*, mars 2010.

patriarche officiera dans l'ombre et le fils sera exposé dans la lumière du pouvoir. Joseph Patrick Kennedy et Nick Clooney ont très clairement reporté leurs espoirs sur la génération suivante. Ce qu'ils n'ont pu réaliser incombera à leurs héritiers.

Ce transfert entre père et fils est évident chez les Clooney. Nick a, par exemple, tenté une carrière de comédien à Hollywood en quittant l'US Army. Installé en Californie, il s'est essayé au théâtre, enchaînant cours et castings. Mais sa tentative se solde par un échec, malgré les relations de sa sœur Rosemary. Il rentrera chez lui complètement fauché. Autre déconvenue, plus récente, du père de George : en 2004, lorsqu'il se présente, dans le Kentucky, aux élections à la Chambre des représentants, sous les couleurs démocrates – celles de George également. Malgré une participation active de son fils à sa campagne à travers l'organisation de meetings et de collectes de fonds (ce que dénoncera d'ailleurs son adversaire), Nick s'incline face au républicain Geoff Davis. En dépit d'une respectable carrière de journaliste, il a échoué dans le divertissement et la politique, les deux secteurs dans lesquels George tend à exceller aujourd'hui. La transmission par filiation a fonctionné, comme une greffe d'ambition sans rejet.

Chez Joseph Patrick Kennedy, ambassadeur des États-Unis à Londres au début de la Seconde Guerre mondiale, le parcours est un peu différent. S'il a saboté sa propre carrière politique par complaisance envers le régime nazi, il a méthodiquement préparé le terrain pour faire de l'un de ses fils le président des États-Unis. Son mariage avec la fille du maire de Boston, Rose Elizabeth Fitzgerald, son expertise de l'univers de la finance et ses affinités supposées avec la mafia de Chicago lui ont permis de tisser des liens solides avec les élites. Au départ, Joseph rêvait que son aîné, Joseph Patrick Jr, prenne les rênes de l'Amérique. Un héritier à qui il avait donné son propre prénom, ce qui lui aurait permis indirectement de vivre pour l'éternité dans les livres d'histoire. Malheureusement, Joseph Patrick Jr est tué lors d'une mission aérienne en 1944, à vingt-neuf ans. Le père assoiffé de pouvoir va alors reporter ses espoirs sur son second fils, John Fitzgerald Kennedy, qui deviendra président en 1961 avant d'être assassiné deux ans plus tard. *« Joseph Patrick Kennedy a joué un rôle central dans la planification de la stratégie, la levée de fonds, le montage des coalitions et des alliances*, précise le journaliste américain Ronald Kessler dans Les Péchés du père : les origines secrètes du clan Kennedy. Il a aussi mis en place la campagne de communication de son fils en faisant appel aux meilleures agences de publicité de l'époque. Durant sa vie et sa carrière, il a rencontré des milliers de personnes influentes et avait décidé* *de les mettre à contribution pour aider son fils à devenir président des États-Unis[1].* »

De leur côté, George Clooney et John Fitzgerald Kennedy ont en commun la même photogénie et un immense capital sympathie. Les deux hommes ont su maîtriser leur image à la perfection. JFK a ainsi été le premier homme politique à jouir d'une médiatisation digne d'une star. La preuve en 1960, lors de son débat face à Richard Nixon. Coup de génie : le fringant candidat choisit de se soumettre aux pinceaux d'une maquilleuse venue tout droit des plateaux de Hollywood pour lui concocter un effet « bonne mine naturelle ». Un détail esthétique qui fera mouche face à un adversaire blafard à l'image. Pour ne rien arranger, Nixon, stressé, ne cessera de s'essuyer le visage avec un mouchoir blanc. De quoi créer une distorsion entre un Kennedy calme et sûr de lui, et un Nixon qui perd pied. Depuis l'apparition de la télévision, l'apparence physique des candidats a une influence incroyable sur le jugement des citoyens au moment du vote. Un paramètre que la famille Clooney maîtrise aussi très bien. Avec un père œuvrant en coulisses pour le propulser au firmament du pouvoir, George semble

---

1. Ronald Kessler, *Les Péchés du père : les origines secrètes du clan Kennedy*, Albin Michel, 1996.

définitivement programmé pour devenir un homme d'influence.

Dieu le père

Autre point qui rapproche les Clooney et les Kennedy, leur foi catholique. Malgré une éducation religieuse qui l'a conduit à la messe et au catéchisme chaque semaine, l'acteur préférera pourtant éviter en interview le sujet de la spiritualité. Une façon, peut-être, de rester consensuel... George Clooney ne l'a abordé qu'une fois, en 1997, dans les colonnes du *Washington Post* : « *Je ne crois absolument pas au Paradis et encore moins à l'Enfer et je ne sais toujours pas si je crois en Dieu. Tout ce que je sais, c'est que je vis, et je vais tout faire pour ne pas gâcher cette vie*[1]. »

Dieu, chez les Clooney, prend néanmoins parfois la forme du père... Lorsque toute la famille déménage à Cincinnati, dans l'Ohio, Nick ajoute à sa carrière à la radio un talk-show matinal et quotidien pour la télévision, le *Nick Clooney Show*. George se souvient de cette époque : « *Il était une vraie star locale. Les gens se retournaient lorsqu'ils le croisaient et des inconnus venaient lui parler dans la rue. Mon père était Dieu ! J'adorais être le fils de Nick*

---

1. Entretien accordé au *Washington Post*, le 28 septembre 1997.

Clooney[1] *!* » George ne croirait-il en Dieu que si ce dernier est incarné par son père ? Le syllogisme est en tout cas inté-ressant. Et lorsqu'on lui demande quel impact a eu Nick dans le développement de sa personnalité, l'acteur répond sans demi-mesure : « *Il m'a influencé à 100 %, et c'est tou-jours le cas. On échange constamment. Mon père est l'homme le plus éthique que je connaisse. Parfois même, c'est allé à l'encontre de sa carrière. J'ai appris grâce à lui qu'il faut traiter les gens d'une façon juste et équitable pour pouvoir la ramener quand tu n'es toi-même pas traité correctement. Mon père est droit, malgré son caractère explosif. Avec lui, j'ai compris que la justice et le sens de l'éthique étaient bien supérieurs à l'argent*[2]. »

Nick Clooney a voulu transmettre des valeurs fortes à ses deux enfants. Parmi celles-ci, l'intégrité, la générosité et la compassion. Chaque année, avant Noël, il emmène son fis-ton dans un centre pour sans-abri, le temps d'un repas. Lors de sa première visite, George a dix ans, mais il en garde aujourd'hui encore un souvenir très vif. Intimidé et mal à l'aise, il passera le début de son repas totalement silencieux, la tête dans son assiette. Son père tente alors de le faire

---

1. Cité par Karin Cohen Dicker, *George Clooney, gentleman-acteur*, Nouveau Monde Éditions, 2008.
2. Entretien accordé à *Esquire*, novembre 2013.

participer à sa conversation avec un homme dans le besoin. Mais pour lui répondre, George garde le regard baissé, ce que Nick n'apprécie évidemment pas. « *Mon père m'a ordonné de regarder ce monsieur dans les yeux lorsque je lui parlais. Je m'en souviens comme si c'était hier. Je devais faire face à la réalité. Ce jour-là, mon père m'a donné une bonne leçon de vie : ne pas avoir peur de mes émotions et respecter l'autre avant tout*[1]. » Nina Clooney confirmera aussi dans *Cincinnati Parent* en 1997 que son fils a toujours été sensibilisé à la notion de partage et d'aide aux plus défavorisés.

Cette éducation a sans doute aidé la star à garder les pieds sur terre. En 2012, alors qu'il reçoit un Critics' Choice Award pour *The Descendants*, son premier réflexe sera de remercier son conseiller le plus avisé : « *Mon père m'a dit un jour : "Ton grand-père était un exploitant agricole. Il a travaillé tellement dur qu'il a pu s'acheter un bout de terrain, y construire une petite maison et y élever ta mère. Elle et moi n'avions ni l'eau courante ni l'électricité, et pourtant, nous avons travaillé très dur pour vous élever ta sœur et toi. Votre mère confectionnait vos vêtements et vous n'avez jamais manqué de rien. Si tu n'es pas fier de ce que tu fais, alors*

---

1. Entretien accordé à *Esquire*, janvier 2007.

fais-le mieux ou fais autre chose. Parce que tu n'as pas à exploiter des terrains[1]*."* »

Une influence lourde à porter

Si Nick Clooney a su donner des repères identitaires, politiques et sociologiques à son fils, tout n'a pourtant pas été rose pour le jeune George. L'omniprésence de cette figure souvent culpabilisatrice a généré une véritable pression chez lui. « *Mon père, c'est ce genre de type qui avait toujours l'esprit d'à-propos. Il savait répondre du tac au tac. Il suffisait de l'écouter cinq minutes pour s'en convaincre. C'était aussi un idéaliste, et c'est plus facile d'être le pote d'un idéaliste que son enfant, parce que les idéalistes veulent faire de leurs enfants des exemples pour la société*[2]*.* » Par amour et loyauté, George a toujours tout accepté. N'empêche que grandir dans l'ombre de cette figure si respectée, connue et charismatique a réservé pas mal de désagréments au jeune homme : « *Vous devez vous mettre en tête que dans le microcosme d'une petite ville comme Cincinnati dans l'Ohio, ou dans le nord du Kentucky, mon père était une grande, grande star. Du coup, ma sœur et moi étions aussi connus. Tout le monde savait qui nous étions. Si je faisais gagner quinze points*

---

1. Discours lors des Critic's Choice Awards, le 12 janvier 2012.
2. Entretien accordé à *Esquire*, janvier 2005.

à mon équipe de basket, le journal du lendemain titrait : "*Le fils de Nick Clooney a marqué quinze points*[1]". » Terriblement handicapant lorsque l'on est adolescent, et que l'on tente de poser les fondements de son identité. Et George admet d'ailleurs qu'il a été très compliqué d'évoluer sous le regard de ce père qui n'a jamais hésité à lui faire la morale. « *Tout le monde l'aimait parce qu'il prenait position pour le respect de la justice, du droit. Et il est toujours comme ça, ça n'a pas changé. Mais grandir dans ce contexte n'était pas génial. Les gens adoraient mes parents, je le sais bien. Moi, je les aimais parfois. Mais j'avais l'impression que cette rançon de la gloire était un peu merdique*[2]. »

Durant leur enfance, l'acteur et sa sœur Ada ont dû souvent changer d'école, au rythme des mutations professionnelles de leur père. Dès que Nick Clooney se retrouvait dans une situation contraire à ses valeurs morales, il se mettait en quête d'un meilleur poste ailleurs. De ce fait, George a débuté son éducation à Fort Mitchell dans le Kentucky, avant de partir en Ohio, à Columbus puis à Mason. Il sera ensuite ballotté de ville en ville. Ce n'est qu'en 1974 que Nick et Nina installent leur petite famille dans une char-

---

1. Entretien accordé à *Rolling Stone*, novembre 2011.
2. Entretien accordé à *Esquire*, novembre 2013.

mante maison de deux étages au bord de la rivière Ohio à Augusta, où ils vivent encore aujourd'hui.

Ces différents déplacements ont certainement joué un rôle important dans la capacité d'adaptation du jeune George Clooney qui, pour se faire accepter, a développé un côté blagueur. Se présenter face à une nouvelle classe est intimidant la première fois, mais quand on l'a fait cinq fois en quatre ans, on maîtrise forcément mieux les mots, l'attitude, les regards... De quoi préparer les multiples castings et prises de parole en public qui suivront plus tard ! *« Je me sentais comme dans* Le Voyage de Gulliver. *Je pouvais arriver dans une classe et être le plus idiot des idiots ou alors débarquer au milieu de l'année dans une autre et me révéler un petit génie*[1]. » Même si ces multiples départs n'étaient pas confortables pour George, Ada et Nina, personne ne se plaignait. Car le journaliste avait enseigné aux siens l'importance de se forger une carrière solide, sans renier ses principes moraux. George suivra donc le sillage tracé par son père durant toute sa vie.

Des handicaps devenus des forces

Hormis ces nombreux déménagements, deux autres obstacles ont sensiblement compliqué l'enfance de George.

---

1. Entretien accordé à *US*, avril 1995.

Le premier survient lorsqu'à huit ans, il est diagnostiqué dyslexique. Sa vie en classe devient alors un véritable challenge et il doit redoubler d'efforts. « *George a su compenser son trouble de la lecture en séduisant ses professeurs* », précisait sa mère en 2006. « *Je savais qu'en le faisant monter sur l'estrade, j'allais attirer l'attention de tous ses camarades*, confirme l'une de ses institutrices. *Il était un petit garçon espiègle et tellement mignon avec ses grands yeux marron*[1] ! »

La deuxième difficulté arrivera cinq ans plus tard. À treize ans, George est en effet atteint pendant de longs mois d'une paralysie de Bell, à cause d'un nerf crânien endommagé. Sa sœur en avait été victime elle aussi quelques années auparavant. Pour George, la crise se déclenche lors d'un repas familial au restaurant. Sans même s'en rendre compte, alors qu'il boit du lait, le contenu de son verre se met à dégouliner d'un côté de sa bouche paralysée. Quelques minutes plus tard, il sent son visage le piquer, sa langue s'engourdir, et ses yeux n'arrivent plus à se fermer. Le début d'un long calvaire… En classe, ses camarades se mettent à l'appeler Cloon-Dog, pour souligner son air de basset triste. D'autres le rebaptisent même Frankenstein. « *J'étais dévasté, c'était vraiment la pire période de ma vie. Vous savez à quel point les enfants peuvent être cruels. J'ai été moqué et insulté.*

---

1. Citées par le *Cincinnati Enquirer*, 5 mars 2006.

J'étais complètement anéanti mais cette expérience m'a rendu plus fort», confie-t-il au quotidien britannique *The Mirror* en 2003. «*Ça l'a certainement beaucoup affecté à l'époque,* ajoute Nick. *Mais même dans cette situation, George trouvait toujours un moyen de retourner les choses à son avantage. Il arrivait à faire rire. Il fait toujours cela. Il se moque de lui-même avant que les autres ne le fassent*[1].» Son aptitude à désamorcer les situations délicates par l'autodérision le caractérise en effet encore aujourd'hui. Reste que s'il est devenu l'un des hommes les plus séduisants de la planète, on peut supposer que l'ex-enfant à lunettes, qui arborait une coupe au bol infligée par sa mère, garde les stigmates de cette période.

Sa mère, un soutien indéfectible

Appui précieux pendant cette période, sa mère lui permettra de traverser ces moments difficiles. Nina a inculqué à son fils la patience et la persévérance. «*Elle m'a appris à survivre dans les situations les plus critiques. Elle me répétait souvent : "Garde ton calme et fais ce que tu as à faire*[2]."» Volontaire et dynamique, Nina Clooney a toujours été en mouvement. Jouer la femme au foyer qui attend son mari

---

1. Entretien accordé au *Huffington Post*, août 2013.
2. Entretien accordé à *Esquire*, décembre 2004.

toute la journée ? Très peu pour elle ! « *Elle était une reine de beauté et avait même son propre show à la télévision, se souvient la star. Mais ça ne l'empêchait pas de s'acheter pour son anniversaire une scie circulaire pour poser le toit de notre maison. Alors que mon père ne savait même pas utiliser un marteau, ma mère, elle, était à plus de dix mètres du sol en train de marteler les tuiles[1].* » Cette hyperactive a d'ailleurs exercé de nombreuses fonctions, jonglant entre les postes sans se poser de questions. Nina a été danseuse, mannequin, elle a travaillé plus de dix ans dans un magasin d'antiquités, a été conseillère municipale à la mairie d'Augusta... Une détermination et une capacité à se réinventer qui ont inspiré à George son mental d'acier.

Avant d'essayer de faire carrière à Hollywood, il a d'ailleurs envisagé de devenir sportif de haut niveau. À dix-sept ans, le baseball est son sport favori, et il fera son maximum pour intégrer l'équipe légendaire des Cincinnati Reds. Malgré son entraînement quotidien, il est recalé lors d'un essai important. Cet échec l'atteindra profondément. Que faire en dehors du sport ? « *J'évoluais dans une région où j'étais le meilleur. Du coup, pour me perfectionner, je me suis rendu dans un centre d'entraînement où tous les meilleurs se retrouvaient. Là, j'ai réalisé que j'étais loin d'être aussi bon*

---

1. Entretien accordé à *Rolling Stone*, novembre 2011.

*qu'eux. Ils avaient tellement plus de puissance et d'endurance!
Quand j'ai réalisé que je ne deviendrais jamais l'un d'entre
eux, j'ai pu rentrer chez moi sans vraiment avoir de remords
puisque j'étais allé au bout de ma démarche. J'ai cette capacité
à pouvoir accepter mes propres limites*[1]. »

De retour chez lui, le jeune homme décide de suivre les pas
de son père, et il n'y a là rien de très étonnant. George Clooney
s'inscrit à un cursus de journalisme à la Northern Kentucky
University. Au bout de quelques mois, il réalise pourtant que
ce n'est pas dans cette branche qu'il pourra s'épanouir pleinement. « *J'étais très mauvais dans cet exercice. Mon père est un
brillant journaliste. Il présente le journal avec talent depuis de
nombreuses années. Évidemment, tout le monde en cours me
comparait à lui mais j'étais très loin de lui arriver à la cheville.
J'ai subi ce que j'appelle le syndrome George W. Bush*[2]. »

Le poids de la comparaison était bien lourd à porter pour
le jeune homme. Aussi ne tarde-t-il pas à ressentir le besoin
de prendre ses distances avec ce modèle qui le voyait certainement comme la prolongation de lui-même. Il est temps
pour George Clooney de trouver sa voie en se libérant, pour
un temps, de l'influence de son mentor… Un concours de
circonstances lui révélera sa vocation.

---

1. *Ibid.*
2. Entretien accordé à *Playboy*, juillet 2000.

II

DES DÉBUTS CHAOTIQUES

« Je suis le plus connu des acteurs inconnus ! »

George Clooney

En 1979, George végète sur les bancs de l'université, où il est loin d'être un étudiant assidu. *« Quand j'étais à la fac, j'ai fait la fête comme personne. Mais il faut me comprendre aussi ! J'ai été élevé dans une famille catho super stricte, où j'avais un couvre-feu à neuf heures pétantes. À cette époque, il y avait de la drogue partout ! De l'herbe, de la cocaïne, tout était autorisé. Pendant deux ans, ma vie a tourné autour de la drogue et des filles. Je n'ai jamais vraiment pris les cours au sérieux[1]. »* Une liberté qui se ressent aussi dans son attitude. Lui qui a passé son enfance à faire le dos rond, qui a toujours été conciliant et bien élevé, commence à

---

1. Entretien accordé à *Playboy*, juillet 2000.

craquer. «*J'allais être considéré uniquement comme le fils de Nick Clooney toute ma vie!*» revivait-il dans un long entretien accordé au magazine *Rolling Stone* à l'été 2000.

En mai 1981, sa tante Rosemary et son mari, l'acteur et réalisateur d'origine portoricaine José Ferrer, viennent passer quelques semaines à Lexington avec deux de leurs enfants. Ils sont là pour le tournage du long-métrage *And They're Off*. George en profite pour mettre sa voiture, une Chevrolet Monte-Carlo, à la disposition de son oncle. La location du bolide lui rapporte cinquante dollars par jour: il n'y a pas de petits profits! L'intrigue principale du film se déroule dans le milieu des courses hippiques, et de nombreux figurants doivent incarner les jockeys et les entraîneurs. On propose alors à George d'apparaître dans une scène. Le jeune homme n'a qu'à traverser un champ la tête baissée, avec une botte de foin sur l'épaule. Cette expérience sera pour lui une révélation: à ce moment très précis, George réalise qu'il veut devenir comédien. «*Je n'y avais jamais pensé. Ça a été comme un électrochoc,* précise-t-il plus tard à *Playboy. Grâce à ce minuscule rôle dans ce film à petit budget, qui ne sera en plus jamais montré au public, je venais de trouver ma voie*[1]*!*» C'est Miguel Ferrer, l'un des fils de José et Rosemary, qui incite alors George à venir tenter sa

---

1. *Ibid.*

chance à Los Angeles. En partageant la même chambre pendant les trois mois qu'a duré le tournage, ils sont devenus amis. « *Être ignorant est souvent une bénédiction*, se souvient-il avec ironie. *Naïvement, je me suis dit que je pouvais aller à Los Angeles et devenir acteur*[1]. »

Le grand saut

Quelques jours après ce coup de foudre artistique, George décide d'abandonner ses études de journalisme. Évidemment, Nick Clooney ne partage pas l'enthousiasme de son fils en apprenant son nouveau projet. Il lui demande s'il n'a pas perdu la tête, et lui rappelle que Los Angeles grouille de jeunes qui, comme lui, rêvent de crever l'écran. «*Par pitié, George, ne fais pas ça!* supplie le journaliste. *À Hollywood, seuls cinq mille acteurs vivent de leur métier*[2]. » Peine perdue! Nick tente alors de convaincre son fils de ne pas quitter la fac tout de suite, et d'obtenir au moins son diplôme. Mais George ne se laisse pas amadouer: il veut devenir acteur, et refuse toute solution de repli. Un accès de rébellion qui ne l'émancipe pourtant pas complètement de la tutelle paternelle. Dès ses premiers rôles, George mettra en application tout ce que Nick lui a appris: se

---

1. Entretien accordé à *Esquire*, octobre 1999.
2. Entretien accordé au *Huffington Post*, août 2013.

battre pour obtenir ce que l'on veut, ne pas faire de concessions et entreprendre les choses avec honnêteté. À Hollywood, où les carrières se font et se défont à la vitesse grand V, George Clooney est bien décidé à garder la tête froide, grâce aux enseignements de son enfance.

Avant de se rendre en Californie, il doit mettre de l'argent de côté. Il occupera donc deux postes de vendeur : le premier dans la boutique de vêtements pour hommes Nadler's, puis dans un magasin de chaussures, McAlpin. Une ex-collègue, Virginia Schwartz, le décrit comme très chaleureux avec les dames âgées, blagueur, enthousiaste et surtout très travailleur. Pour partir plus vite, George n'hésite d'ailleurs pas à cumuler différents petits jobs. En plus de ses activités dans la vente, il sera un temps DJ dans un bar de Cincinnati, et travaillera dans les champs de tabac pendant l'été 1981. Ce dernier emploi ne fait pas l'unanimité dans sa famille, qui a perdu, dans les années soixante-dix, une dizaine de ses membres à cause du cancer. Trois mois plus tard, George a en tout cas amassé un petit pactole de trois cents dollars, suffisant pour payer les pleins d'essence qui lui permettront d'aller d'Augusta à Beverly Hills. Il est alors temps pour lui de faire le grand saut, et de monter dans cette Chevrolet Monte-Carlo qu'il surnommera pendant le voyage « Danger », parce qu'elle est « la voiture de tous les dangers ». Il faut dire que ce bolide de 1976 va faire en route de nombreuses surchauffes. Et George ne doit jamais éteindre le moteur, au risque de ne pouvoir le redémarrer.

Après deux jours et deux nuits de route, George arrive enfin chez les Ferrer. Le rêve ? Pas vraiment. Car sa tante Rosemary possède un caractère changeant, auquel il devra s'adapter. Ainsi, ne supportant pas de voir la vieille carlingue de George garée devant sa propriété, elle lui ordonnera de la vendre. L'aspirant acteur s'exécutera et sera alors obligé d'aller à ses auditions à vélo, pédalant parfois plus de trente kilomètres par jour. Sans compter que l'hébergement chez Rosemary n'est pas gratuit. Elle le loge en échange de petits boulots : il sert ainsi d'assistant personnel, de cuisinier, de chauffeur, à elle ainsi qu'à ses nombreux amis (il travaillera d'ailleurs un temps pour le chanteur de jazz Tony Bennett). Pendant des mois, Rosemary fait de George son homme à tout faire, jusqu'à le traiter en domestique. Le jeune homme en sera un peu traumatisé, comme il l'a raconté au magazine *Première* : « *Je n'ai jamais été autant humilié que chez ma tante. Je me souviens d'un après-midi où nous étions tous assis dans le salon chez elle à discuter. Et tout d'un coup, Rosemary a lancé en se levant d'un bond : "Allons tous dîner dehors ce soir. George, toi, tu restes ici[1] !"* » Se voyant à ce point rabaissé par sa propre

---

1. Entretien accordé à *Première*, décembre 1998.

famille, l'acteur décide peu après de faire ses valises. Il quitte alors l'incroyable propriété des Ferrer pour loger dans le placard du minuscule appartement d'un ami, l'acteur Thom Mathews, rencontré à son cours de comédie. C'est à cette période que George se crée sa deuxième famille californienne : les Boys, un groupe d'une dizaine de compères qui ne se quitteront plus à partir du milieu des années quatre-vingt.

Si l'acteur a quitté le domicile de Rosemary, les galères, elles, sont loin d'être terminées. Pour réunir les trois cents dollars que coûtent ses leçons de comédie, George s'escrime sur des chantiers, et va même jusqu'à faire le ménage dans le théâtre où ont lieu ses cours. Il est prêt à tout pour y arriver. Mais il a beau travailler d'arrache-pied pour apprendre le métier, ce grand fêtard dans l'âme ne manque pas une seule des incroyables soirées que lui offre la côte Ouest. L'occasion aussi de croiser tout le gratin holly-woodien. George a bien compris qu'autour d'un verre, les producteurs, réalisateurs, scénaristes, ou encore costumières, assistants personnels et stagiaires sont autant de mines d'informations. Quels sont les nouveaux projets en préparation ? Quels castings importants se profilent ? La nuit, il trouve des réponses à ces questions.

Les clés du succès

Malgré tout, George sait que le monde du spectacle peut se révéler violent et cruel. La carrière en dents de scie de sa tante Rosemary, et ses addictions à la drogue et l'alcool en témoignent. Dès ses premières années à Hollywood, il possède donc une clairvoyance qui manque aux autres jeunes acteurs fraîchement débarqués : il sait que le talent seul ne suffit pas à se construire un destin, et qu'il devra se comporter en homme d'affaires froid et intransigeant. Reste que les échecs ne sont pas faciles à encaisser. Comme ce rôle dans *Thelma et Louise* pour lequel il passe cinq auditions, avant de se faire évincer par son futur ami Brad Pitt ! Une déception qui le pousse à se remettre en cause. « *Pendant un bon moment, je n'avais aucun rôle, rien. Je passais des dizaines de castings et je n'avais aucun retour. Puis je me suis dit : merde, je suis un putain de joueur de baseball à la base ! J'ai compris que je devais envisager ce métier d'acteur comme le ferait un champion sur le terrain. Je n'allais plus me demander si je pouvais toucher la balle, mais plutôt l'envoyer là où elle n'avait jamais été*[1]. »

George commence alors à se conditionner mentalement, à envisager la victoire. Et misant tout sur la loi de l'attraction, il se met à placer sa volonté au-dessus de tout. « *Les*

---

1. Entretien accordé à *Playboy*, juillet 2000.

comédiens vont aux auditions en se disant : "Oh mon Dieu, ils vont me détester !" J'ai vite compris que le meilleur acteur n'est jamais retenu. Tu obtiens un job ou pas à la seconde où tu entres dans le bureau d'un directeur de casting. Tout ce qui compte dans ce métier, c'est ce que tu dégages et la confiance que tu as en toi. Une fois que j'ai compris ça, j'ai commencé à vendre mon aplomb plus que mon talent[1]. » L'apprenti comédien touche alors du doigt la clé qui lui ouvrira les premières portes. Et il élabore une vraie stratégie pour faire tourner la chance en sa faveur. « *Je me suis dit que je n'avais plus rien à perdre et j'ai décidé de me faire remarquer. J'arrivais aux castings avec des accessoires divers et variés. Un jour, je me suis ramené avec un chien ; une autre fois, avec une bouteille de champagne. J'ai aussi demandé à des amis de faire les figurants pour une scène. Même si je n'étais pas rappelé, je savais que j'avais marqué les esprits. La plupart du temps, je voyais l'incompréhension dans leurs regards. Ils se demandaient qui était ce mec[2] !* »

Grâce à cette nouvelle méthode de travail, dix-huit mois après son arrivée à Los Angeles, George obtient son premier rôle dans une publicité pour le géant japonais Panasonic. En arrivant à l'audition, il voit des dizaines d'acteurs qui lui

---

1. *Ibid.*
2. *Ibid.*

ressemblent, révisant leur texte dans un couloir bondé. De quoi faire écho à ce que son père lui avait prédit lorsqu'il avait quitté l'université… Pour ce casting, George veut se démarquer. Il ressort alors de l'immeuble pour aller acheter une dizaine de Sapporo, des bières japonaises. Un savoureux clin d'œil qui lui permet de tirer son épingle du jeu auprès du directeur de casting et de ses assistants, à qui il distribue les bouteilles en verre brun. Tout le monde est ravi et, avant même de commencer, George comprend qu'il a gagné. Ce premier succès le met immédiatement en confiance, mais il aura aussi à cette époque quelques ratés. Sa plus fameuse casserole lui est infligée lors d'une audition pour le *Dracula* de Francis Ford Coppola, en 1992. Pour surprendre l'équipe du casting, George a choisi de transcender le monologue qu'il doit réciter en l'agrémentant d'un accent campagnard typique de sa région du Kentucky. Évidemment, il n'est pas retenu pour le rôle, mais il se fait remarquer par le réalisateur du *Parrain* qui appellera son agent pour savoir s'il n'est pas mentalement attardé !

George a soif de réussite et pour multiplier les propositions, il se fait souvent passer pour son propre agent. Il appelle ainsi quotidiennement les maisons de production les plus cotées pour recueillir des informations sur les projets en développement et les castings en cours. Hors de question de tout miser sur son charme ou sa bonne étoile.

Le jeune acteur veut prouver qu'il a l'étoffe d'un grand et qu'il est prêt à travailler dur pour y arriver. Son objectif principal est alors de convaincre une personnalité influente qui lui donnera sa chance.

La loi des séries Z

Après quelques mois sur la côte Ouest, le CV artistique de George Clooney se résume à quelques rôles secondaires dans des séries comme *Arabesque, Rick Hunter* ou *Tonnerre mécanique.* Autant dire que le comédien est frustré et n'aime pas la tournure que prend sa carrière. Il n'a pas traversé le pays pour ça, et ne veut pas donner raison à son père. Heureusement, en 1987, il décroche un rôle récurrent dans la première saison de la sitcom *Roseanne.* Il y campera Booker Brooks, le manager de l'entreprise où travaillent les personnages principaux joués par Roseanne Barr et John Goodman. Une expérience dont George ne garde pourtant pas un bon souvenir : « *Mes années Roseanne ont été très pénibles. Je savais que je n'étais pas vraiment le bienvenu dans le casting. S'ils m'ont reconduit sur la deuxième saison, c'est parce qu'ils y étaient obligés à cause du contrat que j'avais signé*[1]. » À cette période, George mange donc son pain noir, mais il conserve son naturel optimiste et farceur. Avant de

---

1. Entretien accordé au *New Yorker*, avril 2008.

partir, en 1991, il tient d'ailleurs à laisser à l'équipe un petit souvenir : une photo de ses parties intimes affublées de grosses lunettes à la Groucho Marx. Le cliché a été pris par John Goodman, le mari de Roseanne dans la série, et George en est très fier. Plus tard, il précisera que cette blague reste sa préférée. Selon Roseanne Barr, le polaroid de ce « visage » ornera d'ailleurs le frigo du studio pendant des années, avant de mystérieusement disparaître…

Durant toute la fin des années quatre-vingt, George enchaîne des pilotes de séries qui ne verront jamais le jour et des nanars qui, eux, existent malheureusement bel et bien. Le plus fameux reste *Le Retour des tomates tueuses*, qui sera suivi de son prequel, *L'Attaque des tomates tueuses*. Ces deux films, sortis directement en VHS, lui ont permis de s'essayer aux films de série Z un peu loufoques et déjantés. Même si au final, il s'agissait de navets, la saga des *Tomates tueuses* a plutôt bien été accueillie par les amateurs du genre. Son père confirme : « *Un jour, il m'a dit au téléphone : "Papa, ici, j'ai le meilleur des deux mondes ! Je suis le plus connu des acteurs inconnus. Je gagne ma vie en jouant la comédie et je n'ai pas à me soucier des paparazzis. Tout ce que j'ai à faire, c'est me concentrer sur mon travail*[1] *!"* »

---

1. Cité par ABC News, mars 2010.

Mais ce bonheur est entamé le 25 juillet 1990, lorsque George perd son grand-oncle George Guilfoyle. L'homme, âgé de soixante-cinq ans, souffre d'un cancer du foie depuis de nombreux mois. Toute sa vie, il a bu et fumé le tabac de sa région natale, et connaissant son état de santé, George se rue à son chevet. Les derniers mots de son oncle, dont il ne lâchera pas la main jusqu'au dernier souffle, auront sur lui l'effet d'un électrochoc. « *À vingt-deux ans, il avait déjà réalisé une quinzaine de missions en tant que pilote de bombardier. Il était bel homme, faisait partie des meilleurs joueurs de basket-ball du pays et sortait avec Miss America. Autant dire qu'il était comblé par la vie. Mais moi, je ne l'ai pas connu à cette époque. L'oncle Guilfoyle que je connaissais était alcoolique, entraînait des chevaux et dormait dans une grange. C'est un homme qui n'a pas su exploiter son potentiel,* a regretté George dans *USA Weekend. Quand il vivait ses dernières minutes, il n'a pas arrêté de dire : "Quel gâchis !" Parce qu'il avait soixante-cinq ans, qu'il aurait pu accomplir de grandes choses, mais qu'il n'a rien fait*[1]. »

De cette expérience, George tire une leçon qui le guidera toute sa vie : « *La seule chose que je me suis dite en sortant de sa chambre d'hôpital, c'est que je ne voulais pas avoir les mêmes regrets au moment de partir. Si je me fais renverser par*

---

1. Entretien accordé à *USA Weekend*, septembre 1997.

*un bus aujourd'hui, je veux que tout le monde puisse dire :
"Il s'est quand même bien éclaté, ce con[1] !"* » Ce jour-là,
il décide de ne plus accepter de mauvais scénarios ni de
piètres rôles. Désormais, il ne se concentrera que sur les
propositions qui feront avancer sa carrière.

Plus de place pour la médiocrité !

De retour à Los Angeles, George apprend une bonne
nouvelle. *Ici bébé*, une série dont il a déjà tourné quelques
épisodes, a été choisie pour une diffusion en prime time.
Mais sur le plateau, l'acteur est sous tension. Il ne supporte
plus le traitement imposé par Ed. Weinberger, le réalisateur, à l'équipe de tournage. Et la rupture a lieu le jour où
George apprend qu'une comédienne a découvert son ren-
voi en trouvant sa remplaçante dans sa loge ! De quoi
rendre furieux le fils de Nick Clooney, éternel défenseur de
la veuve et de l'orphelin, qui dit alors au réalisateur ses
quatre vérités, et lui explique, sans prendre de pincettes,
qu'il « *fait de la merde* ». Selon plusieurs témoins, la dispute
est intense et très violente, et le contrat de George sur *Ici
bébé* sera écourté. « *Encore aujourd'hui, je pense que c'est le
jour où j'ai véritablement grandi*, se souvient-il pour le site
Movieline. *Au départ, j'ai cru que je venais de saboter ma*

---

1. *Ibid.*

carrière. Tout allait mal dans ma vie à ce moment très précis. Ma santé, mes finances, tout s'écroulait sous mes pieds. Puis je me suis dit : "Ok, si je suis un homme, je dois faire de cette expérience un nouveau départ." Et à partir de là, je n'ai plus eu peur de rien ni de personne. J'ai cru que Weinberger allait faire en sorte que je ne puisse plus retravailler à Hollywood. Mais à la minute même où je me suis confronté à ce connard, les choses ont changé pour moi. Depuis cette dispute en public, je sais que je peux prendre des décisions couillues[1]. »

Après cette expérience, il joue quelque temps le rôle du détective James Falconer dans *Sisters*. Diffusée sur NBC en 1993, la série plaît énormément au public. Mais George a envie d'autre chose et les scénaristes s'exécutent en tuant son personnage dans un accident de voiture. L'acteur sera alors libre de repartir à la recherche du grand rôle de sa vie. Un choix astucieux puisque quelques mois après avoir quitté le plateau, sa carrière prendra un sérieux coup de boost.

Sauvé par les *Urgences*

Avant de devenir une série à succès des années quatre-vingt-dix, *Urgences* est d'abord un livre, paru en 1970, *Cinq patients*. L'auteur, un étudiant en médecine de Harvard,

---

1. Entretien accordé à *Movieline*, octobre 2000.

Michael Crichton, s'inspire de son expérience aux urgences de l'hôpital public du Massachussetts. Le stress des patients, les tensions entre médecins, l'ambiance de l'hôpital, tout est raconté dans ces pages. Des années plus tard, en 1989, il en tire un scénario de long-métrage qu'il veut présenter à Steven Spielberg. Le nom du projet : *ER*, pour « Emergency Room ». Le jour de la rencontre, le réalisateur vient de terminer le tournage d'*Indiana Jones* et cherche un scénario original de drame sur lequel travailler. Et alors qu'il était venu présenter *ER*, Michael Crichton se retrouve à lui expliquer son prochain roman. Le thème ? Des chercheurs généticiens qui pourraient cloner des dinosaures. Le réalisateur est tellement captivé par cette idée que la réunion autour d'*Urgences* se transforme en projet de développement du futur *Jurassic Park*. « *C'est vrai que ça a été une erreur stratégique pour Crichton de me parler de ses dinosaures ! Mais je le remercie d'avoir fait cette erreur pile ce jour-là*[1] *!* » précise Steven Spielberg à un journaliste de NBC. Et pour cause : sorti en 1993, *Jurassic Park* fera un énorme carton. Mais cette même année, ses équipes de production se penchent enfin sérieusement sur le fameux projet hospitalier. Après réflexion, ce ne sera pas un film, mais une série télé.

---

1. Entretien accordé à *Dateline*, sur NBC, le 6 mai 2003.

Pour l'époque, *Urgences* fait figure d'OVNI. Si aujourd'hui l'univers médical est devenu courant à la télévision avec *Dr House*, *Nip/Tuck*, *Grey's Anatomy*, *Scrubs*, et même *H* pour le made in France, il est alors une vraie nouveauté. Avant *Urgences*, les téléspectateurs n'avaient jamais été confrontés à l'univers anxiogène des chambres d'hôpital ni au jargon thérapeutique. Le show sera produit par Warner Bros, qui avait aussi concocté *Ici bébé*, la série qu'a quittée George en se disputant violemment avec le réalisateur Ed. Weinberger. Mais visiblement, on ne lui en tient pas rigueur et Warner veut le garder dans son écurie. Pourquoi ? Parce que l'acteur est dans les petits papiers de Leslie Moonves, le directeur du pôle TV de l'entreprise, qui a perçu son potentiel de star avant tout le monde. « *Il cumule deux éléments très rares : la personnalité et le talent. On a souvent l'un sans l'autre. Mais avec George, ce que vous voyez à l'écran, c'est aussi ce qu'il est en dehors*[1] », affirme Leslie Moonves, devenu depuis l'un de ses amis.

À cette période, la Warner a d'ailleurs proposé à George Clooney le premier rôle de *Golden Gate*, une série policière d'une heure. Mais quelques semaines avant de finaliser les contrats du projet, un proche lui fait passer une copie du pilote d'*Urgences*. En le parcourant, l'acteur ressent un vrai

---

1. Entretien accordé à *Playboy*, juillet 2000.

coup de cœur. Il se voit incarner le charismatique docteur Doug Ross. Ses caractéristiques ? Un mélange de séduction, de nervosité et de fragilité. George sent qu'il peut transcender ce personnage, et la Warner est d'accord avec lui. *« J'ai tout de suite fait confiance à George parce qu'il a vite compris qu'être six ou sept dans un super-show, ça valait beaucoup mieux que d'être seul dans une bonne série*[1] *»*, précise Leslie Moonves. George ne cherche pas un premier rôle à tout prix. Après plus de dix ans à écumer les castings, il souhaite simplement passer à la vitesse supérieure. Une audition plus tard, l'acteur est embauché. Il apprend la bonne nouvelle alors qu'il se trouve en voiture avec son ami Grant Heslov. *« On vient de m'offrir une carrière !*» dira-t-il en raccrochant.

« C'est Urgences *qui a changé ma vie pour toujours. Le timing était parfait. J'avais trente-trois ans, j'étais plus mature*[2]*. »* Avec cette opportunité, tout fait sens à ses yeux, et ses erreurs d'aiguillage jouent désormais le rôle de catalyseur dans sa réalisation. *« Pendant longtemps, j'ai fait des trucs mauvais. Mais figurez-vous que si l'un de ces pilotes avait vu le jour, je n'aurais jamais pu être disponible pour* Urgences. *C'est ce que l'on appelle la chance*[3]*. »* Surtout que,

---

1. Entretien accordé au *Cincinnati Enquirer*, février 1999.
2. Entretien accordé à *Esquire*, janvier 2014.
3. Entretien accordé à *TV Guide*, octobre 1995.

de son propre aveu, il a un peu perdu à cette époque de son légendaire optimisme. « *J'avais été tellement déçu que jamais je n'aurais pensé qu'un tel projet puisse se trouver sur mon chemin. Je m'étais dit que dans quelques années, j'allais être condamné à tourner dans des téléfilms uniquement diffusés la nuit*[1]. » *Urgences* a apporté à George Clooney ce qu'il désirait : un scénario de qualité développé par des professionnels respectés, une histoire originale qui dépoussière le genre, et surtout un rôle intéressant lui permettant de gagner en crédibilité. Un autre élément plaît à l'acteur : faire partie de ce que l'on appelle un « *casting choral* », sans tête d'affiche. Tous sont au même niveau et brillent à tour de rôle, chaque acteur assurant, à un moment ou à un autre, la promo du show. La pression est partagée et limitée. Ne pas être la seule star comporte aussi un avantage pratique pour George, qui garde au fond de lui le désir de faire du cinéma. Avec six personnages principaux, et autant d'intrigues, il peut alors de temps en temps s'absenter pour tourner un long-métrage. Quant à son personnage, le pédiatre Doug Ross, George aime son côté à la fois dragueur et héroïque. Un mélange qui lui convient bien, et qu'il cultivera durant toute sa carrière.

---

1. *Ibid.*

Très rapidement après la diffusion de la première saison, George Clooney intègre la «liste A» des acteurs ayant le potentiel de remplir des salles de cinéma. La série fait un carton : elle recevra, l'année suivante, huit récompenses aux Emmy Awards. George s'impose alors comme l'acteur le plus sexy du petit écran, quelques années avant que Patrick Dempsey ne reprenne le flambeau dans *Grey's Anatomy*. Grâce à *Urgences*, il sort de l'anonymat et, dorénavant, les gens le reconnaissent où qu'il aille. À l'époque, il gagne quarante mille dollars par semaine (ce qui équivaut au tournage d'un épisode). Un montant suffisant pour prouver à son père sa réussite, et pour s'offrir la maison de ses rêves : la «Casa de Clooney», immense résidence sur les hauteurs de Hollywood. Une garçonnière de grand standing équipée d'un court de tennis, d'une piscine et d'un terrain de basket-ball. Pour l'anecdote, l'ancien occupant des lieux était le rappeur bling-bling de l'époque, Vanilla Ice.

Mieux qu'un acteur, un businessman !

Si la série cartonne, les tournages d'*Urgences* ne sont pas de tout repos. En cause, le jargon médical en latin qu'il faut retenir, et le fait de devoir manipuler avec dextérité les acteurs jouant les malades. «*Je devais mémoriser des chorégraphies autour des lits des patients. Il fallait aussi apprendre les bons gestes à faire au bon endroit. Mon angoisse était de mal m'y prendre et de faire craquer leurs cages thoraciques en exécutant mal un massage cardiaque*[1]. » Les histoires sont souvent dramatiques, mais l'acteur allège l'ambiance avec ses farces. Julianna Margulies, qui joue Carol Hathaway, l'infirmière amoureuse de Doug Ross, se rappelle : « *George est une vraie pile électrique sur un plateau, il ne s'arrête jamais. Je me souviens qu'il adorait mettre les bassins urinaires en équilibre sur sa tête*[2]. » Sur le plateau, il initie également un jeu-cagnotte, le *Dollar Day*. Dans une boîte, chacun place la somme de son choix. Une fois la boîte remplie, on procède à un tirage au sort, et le gagnant encaisse la somme. Bien souvent, celle-ci avoisine les cent dollars. Mais lorsque George quittera la série, cinq ans plus tard, il y glissera près de six mille dollars pour marquer le coup. Le pactole sera remporté par un technicien à la lumière, ravi de sa journée ! Dès ce tournage, George a prouvé qu'il était généreux et bienveillant envers l'ensemble de ses collaborateurs. Il sera par exemple le seul à s'insurger lorsque les producteurs voudront mettre en place deux buffets différents, l'un pour les comédiens et l'autre pour le reste des équipes. Ce genre de distinction n'entre définitivement pas dans le paradigme

---

1. Entretien accordé à Larry King sur CNN, le 27 juin 1998.
2. Entretien accordé à *US*, avril 1995.

de l'acteur. Il saura s'imposer afin que tout le monde sur le plateau puisse manger au même endroit.

À cette époque, un autre élément a fait de lui une exception dans le microcosme hollywoodien : il refuse radicalement de voir son cachet augmenter au fil des saisons d'*Urgences*, contrairement à ses co-stars. En cinq années, le salaire des cinq autres comédiens phares de la série a été multiplié par dix. Mais George Clooney préfère geler le sien : ses quarante mille dollars par épisode lui sont largement suffisants. Il se projette déjà dans d'autres sphères, où les cachets peuvent être cent fois plus élevés. « *Je me suis battu toute ma vie pour jouer dans un programme comme celui-ci. Je suis dans une position plus que confortable. Grâce à l'exposition que m'a offerte* Urgences*, je vais pouvoir tourner dans des films chaque été, et c'est une chance incroyable pour moi*[1] », confirme-t-il au magazine *People*. Pour dépasser son label d'acteur télé, George travaille son jeu d'arrache-pied. Et dès sa deuxième saison, il va commencer à recevoir quelques propositions pour le grand écran. Mais il ne veut pas commettre l'erreur de certains, qui ont sauté à pieds joints sur des propositions de rôles principaux médiocres. C'est le cas, par exemple, de David Caruso, que l'on connaît aujourd'hui comme le Horatio des *Experts : Miami*. Porté par son immense succès dans les années quatre-

---

1. Entretien accordé à *People*, février 1999.

vingt-dix dans *New York Police Blues*, l'acteur roux s'était lancé à corps perdu dans des longs-métrages qui seront d'énormes échecs commerciaux. Et il lui faudra ensuite plusieurs années pour reconquérir la confiance des producteurs. George, lui, tient à garder son rôle dans *Urgences*, pierre angulaire de son projet de carrière. Incarner le Dr Ross lui permet d'acquérir une sécurité financière pendant qu'il tente d'autres choses ailleurs. Selon lui, enchaîner les bons rôles, même secondaires, lui permettra de s'imposer dans le milieu. Depuis qu'il vit à Los Angeles, il a appris malgré lui la patience, et il est très lucide sur l'intérêt que lui voue le public. Une attention qu'il sait variable et changeante. « *Ce qui arrive ne dépend que très peu de vous. Je ne sais pas si l'on peut comprendre cette notion lorsque l'on débute à vingt ans, parce que très vite, à cet âge-là, on est convaincu d'être le meilleur*[1]. » George sait que toutes les carrières connaissent des hauts et des bas. Il s'y est préparé. Les goûts des gens fluctuent, et un mauvais choix de film ou un scandale personnel peuvent affecter une carrière. « *Vous ne serez jamais aussi bon que les gens vous l'affirment. C'est pareil quand on vous dit que vous êtes mauvais : vous ne l'êtes jamais autant que les gens le disent. Si vous comprenez tout ça, vous avez gagné*[2]. »

---

1. Entretien accordé au *Guardian*, février 2006.
2. Entretien accordé à *Vanity Fair*, décembre 1996.

Nous sommes en 1994 et, côté cinéma, Quentin Tarantino a le vent en poupe. Lui qui vient de sortir, coup sur coup, *Reservoir Dogs* et *Pulp Fiction*, remporte même un Oscar dans la foulée. George Clooney suit de près son parcours et il souhaite vraiment tourner avec lui. En 1991, il avait d'ailleurs été auditionné pour le rôle de Mr Blonde dans *Reservoir Dogs*. Mais comme pour le *Dracula* de Coppola, il avait tenté, lors de son casting, un accent qui l'avait totalement discrédité et on lui avait alors largement préféré Michael Madsen. Pour l'heure, Quentin Tarantino cherche des comédiens pour le nouveau scénario qu'il vient d'écrire, *Une nuit en enfer*. En découvrant George Clooney parlant politique de façon décontractée avec l'animateur Bill Maher, il pense à lui pour jouer Seth Gueko. C'est ainsi que l'acteur décroche son premier grand rôle au cinéma.

Le fiasco Batman

Au même moment, il est approché pour ce qui se révélera le plus gros flop de sa carrière : *Batman et Robin*. Avec ce coup, la Warner Bros a voulu mettre en lumière son acteur maison. Malheureusement, le film n'est pas à la hauteur des espérances des fans, des propriétaires de la licence et de Clooney lui-même. « *J'ai totalement enterré la franchise !* admettait-il en interview quelques années après la sortie. *On vous paye aussi pour gérer la promotion des films dans lesquels vous tournez.* Pour Batman et Robin, *je trouvais des pirouettes pour parler de la forme et jamais du fond. J'expliquais que je m'étais éclaté pendant le tournage, que c'est le film le plus incroyable que j'aie pu voir. Tu dis tout ce qui te passe par la tête mais jamais que le film est raté et qu'il a clairement une heure en trop*[1].» Le plus gros problème du projet est en effet son scénario. Mais George détient aussi sa part de responsabilité dans ce bide intersidéral. Pensant que les fans étaient lassés par le côté sombre et mystérieux développé dans les trois volets précédents, il a souhaité que sa composition du justicier masqué soit plus légère. Du coup, les critiques taxeront le Batman de Clooney de «*détaché et amusé*», voire de «*mièvre avec un sourire au coin des lèvres lors des scènes les plus tragiques*[2]». Autant dire qu'il est totalement passé à côté du rôle.

Le virage 100 % cinéma

En 1997, George a déjà tourné dans quatre films, en poursuivant en même temps son aventure *Urgences*. Mais il semble un peu désabusé, et sait qu'il doit s'y prendre autrement pour devenir aussi *bankable* que Tom Hanks ou Samuel L. Jackson. Il décide alors de lever le pied et de

---

1. Entretien accordé à *Playboy*, juillet 2000.
2. Critiques postées sur rottentomatoes.com.

s'accorder plus de temps pour lire les scénarios qu'on lui envoie. Quelques mois plus tard, il découvre le script de *Hors d'atteinte* de Steven Soderbergh. Dès les dix premières pages, il est totalement happé par l'histoire. Pendant le tournage, aux côtés de Jennifer Lopez, il devient grâce au magazine *People* « *L'homme vivant le plus sexy de la planète* ». Rien que ça ! Avec *Hors d'atteinte*, George voit surtout enfin l'un de ses films caracoler en tête du box-office. Et il s'est en outre trouvé un partenaire en la personne de Steven Soderbergh, avec qui il monte trois ans plus tard une société de production, Section Eight. Après avoir passé cinq années à jongler entre *Urgences* et les tournages de longs-métrages, George Clooney choisit de ne pas prolonger son contrat dans la série qui l'a fait connaître. Il souhaite s'investir pleinement dans le cinéma et aussi produire ses propres projets. L'acteur veut déjà briller dans des rôles plus engagés, et dénoncer un système politique qui va à l'encontre de ses valeurs personnelles.

George et les médias : « je t'aime moi non plus »

À l'époque, George, l'acteur le plus séduisant du moment, est très présent dans la presse. On le voit partout. Dès qu'il a commencé à être connu, il a fait le choix de se rendre disponible, et il accorde volontiers des interviews. C'est un bon client, drôle et sympathique, qui met tout le monde d'accord : les journalistes saluent, unanimes, son côté chaleureux et professionnel. En gérant sa communication de cette façon, la star pensait certainement pouvoir garder privée... sa vie privée. Et il espérait avoir la maîtrise totale de ses apparitions dans les médias, en scindant hermétiquement son existence entre ce qu'il choisit de partager et ce qu'il compte protéger. Mais c'était mal connaître le star-system hollywoodien.

Se nouent en effet des rapports compliqués avec les paparazzis. En 1997, il explique au *Cosmopolitan* américain que les photographes font tout pour le mettre dans l'embarras et le provoquer. Le but : avoir des images de lui furieux, qui se vendront à prix d'or. Un piège dans lequel sont tombés nombre de people, d'Alec Baldwin à Kanye West, en passant par l'explosive Björk. « *L'autre jour, j'étais avec un ami et un paparazzi s'est mis à courir dans notre direction en répétant en boucle : "Hey, George, c'est lui ton petit ami ?"* livre-t-il alors. *Et toi, tu sais que ce qu'il veut, c'est une séquence inédite. Il tente sa chance : si je lui dis oui en rigolant, c'est bon pour lui ; si je m'énerve et lui en colle une, c'est le doublé gagnant puisqu'il aura une histoire à vendre et pourra m'attaquer pour coups et blessures*[1] *!* » Mais les liens entre George et la presse dite « à scandales » vont véritablement

1. Entretien accordé à *Cosmopolitan*, mars 1996.

se crisper avec « l'affaire Hard Copy ». Et la cristallisation de ce litige se jouera en deux temps.

Entre les années 1989 et 1999, *Hard Copy* est un programme de télévision hebdomadaire, qui met en scène des célébrités dans des situations gênantes. Les images, souvent volées, sont diffusées sans leur autorisation. L'émission est une marque de la grande maison Paramount et la directrice de la création, Linda Bell Blue, gère aussi à l'époque le programme *Entertainment Tonight*, beaucoup plus complaisant. L'objectif est d'intéresser un maximum de gens, à travers un prisme éditorial le plus large possible. On trouve d'ailleurs quelques illustrations de cette stratégie en France, où Prisma Presse possède par exemple à la fois les titres *Gala* et *Voici*. De la star glossy pour certains, du potin plus trash pour d'autres.

Dans le concept de *Hard Copy*, il n'est pas nécessaire d'être un paparazzi pour voir sa vidéo diffusée à la télévision. N'importe quelle personne possédant une caméra peut réaliser ses mini-séquences. En goûtant à la notoriété, George Clooney est devenu une proie idéale pour l'émission et, rapidement, les gens mettent en pratique les méthodes de certains paparazzis, en n'hésitant pas à le provoquer et à l'insulter gratuitement. De quoi sévèrement agacer l'acteur… En 1996, alors qu'il est attablé au restaurant, il remarque une lumière rouge qui clignote dans sa direction, dans le sac à main d'une jeune femme. George se lève aussitôt pour lui demander d'arrêter l'enregistrement, mais deux jours plus tard, la séquence est diffusée dans *Hard Copy*. Ce qui permet au public de découvrir l'acteur fulminant, debout à la table de l'apprentie paparazzi. Furieux, George va alors rédiger une lettre à l'attention de Linda Bell Blue. Il y explique qu'il a toujours été disponible pour donner des interviews à *Entertainment Tonight* mais qu'il n'accepte plus ce système. Il ne veut plus leur faire gagner de l'argent d'un côté, pour qu'ils achètent de l'autre des vidéos volées de lui. Désormais, il boycottera les programmes de la Paramount, tant que ces « *stalkerazzis* » (la contraction de *stalker*, soit « harceleur », et de paparazzis) violents et intrusifs s'en prendront à lui. En retour, l'acteur reçoit un courrier de la Paramount, s'engageant à ce qu'il n'apparaisse plus dans *Hard Copy*. Loin d'être convaincu, il demande à une assistante de regarder l'émission chaque semaine pour lui faire un rapport. Mais au bout de quelques mois, le pacte est rompu. *Hard Copy* n'a pu résister à la tentation de diffuser des images exclusives de George sur le tournage de *Batman et Robin* en compagnie de sa petite amie du moment, Céline Balitran. La séquence n'est pas compromettante : on y voit juste la Française se rendant au studio. Mais cela suffit à exaspérer George, qui informe la Paramount par courrier qu'il ne donnera plus d'interview à ses journalistes.

Jamais, dans l'histoire du show-business, un acteur n'était monté à ce point au créneau. Et l'affaire va faire grand bruit. Quelques jours après son envoi, sa missive devient publique et d'autres personnalités se joignent rapidement à son combat, formant ainsi un véritable lobby anti-paparazzis. Jim Carrey, Whoopi Goldberg, Madonna, Tom Cruise et Steven Spielberg le soutiennent dans sa démarche et boycotteront également les deux médias du groupe Paramount. Dans les mois qui suivent, la volonté de George Clooney d'être respecté rencontre la réalité : le 31 août 1997, Lady Diana périt dans le tunnel de l'Alma en tentant d'échapper à une nuée de photographes. Ce tragique événement va pousser la Paramount à statuer rapidement sur l'affaire *Hard Copy*. Le groupe s'engage à ne plus diffuser de photos volées et à vérifier méticuleusement la source de ses vidéos. George Clooney 1, Paramount 0.

III

LES FEMMES DE SA VIE

« Je suis bien meilleur en ex qu'en petit ami. »

George Clooney

« Le célibataire le plus convoité de Hollywood ». Jusqu'en septembre 2014, et ses noces princières avec Amal Alamuddin, c'est le titre qui a collé à la peau de George Clooney. Le « célibataire » à amadouer, alors même qu'il est toujours apparu avec une femme à son bras. L'éternel « célibataire », quand, en trente ans de notoriété, l'acteur n'est pas resté seul plus de quelques mois. Perçu comme *bachelor*, là où Leonardo DiCaprio, James Franco ou John Mayer sont, eux, célébrés comme des don juan. En couple mais incasable : comment George en est-il arrivé à incarner ce paradoxe ?

Pour le comprendre, il convient de se pencher sur ses histoires les plus médiatiques, afin d'en saisir les nombreux points communs. L'âge des jeunes femmes, leur parcours, la médiatisation des relations, puis la gestion des ruptures… Dans la vie privée de la star, rien ne semble laissé au hasard. Retour sur une saga sentimentale redoutablement bien huilée.

Kelly Preston (1987-1989) : copains comme cochons

On la connaît désormais comme Mme Travolta. Mais avant d'épouser le VRP VIP de la scientologie, Kelly Preston est tombée sous le charme de George Clooney. L'histoire débute en 1987. À vingt-cinq ans, la blonde sort d'un mariage de deux ans avec l'acteur Kevin Gage. Sa carrière commence à décoller et Mlle Palzis – son vrai nom, qu'elle a changé car « *ça faisait trop pelvis !* » – a envie de renouveau. Elle le trouvera lors d'une soirée chez son agent, qui est aussi celui de George Clooney. Un heureux hasard ? Pas vraiment. Elle l'a repéré à la télé et la rencontre fortuite est en fait arrangée. Reste que la sauce prend. « *Il m'a ramenée en Harley et j'ai été tout de suite accro* [1] », expliquera-t-elle. George est aussi enthousiaste puisque vingt-trois jours plus tard, le tout nouveau couple est déjà propriétaire d'une maison sur les hauteurs de Los Angeles. Montant de la transaction : un million de dollars ! Une histoire étourdissante, comme Hollywood les aime. Le duo fait d'ailleurs frétiller la

---

1. Entretien accordé à *People*, février 1989.

presse à potins, dont le célèbre *People* qui lui consacre un long reportage. L'occasion d'apprendre que Kelly aime cuisiner à la maison, tandis que George fabrique des meubles et répare de vieilles voitures... Et qu'ils ont beaucoup de bonnes raisons de s'aimer : « *Elle a de l'argent et conduit une Jaguar* », plaisante-t-il. « *Il a un corps magnifique et porte des jeans moulants* », répond-elle. Bref, un couple hautement photogénique qui nous présente même son bébé : Max, le cochon vietnamien que l'acteur a offert à sa petite amie pour son anniversaire. Les clichés resteront dans les annales, tel celui qui les montre sur la moto de George, qui tient sur ses genoux leur porc enrubanné.

Pourtant, s'ils arborent en public un sourire Ultra-Brite, les choses se dégradent en privé. George ne supporte plus de stagner dans la série *Roseanne* alors que la carrière de Kelly explose, notamment grâce à un rôle dans *Jumeaux* aux côtés d'Arnold Schwarzenegger. « *Je me sentais piégé dans cette vie à deux*, racontera-t-il plus tard. *À cette époque, j'avais pris pas mal de poids. Je n'étais pas du tout épanoui dans cette relation et je ne savais pas comment m'en sortir. Je vivais dans une maison au-dessus de mes moyens et niveau santé, j'avais un grave ulcère*[1]. » À l'été 1989, peu après leur parade amoureuse dans *People*, George la quitte sans prévenir. Une

---

1. Entretien accordé à *Playboy*, juillet 2000.

rupture brutale, dont l'actrice se remettra vite : six mois plus tard, elle se fiance à Charlie Sheen, avec qui George vient de tourner *Grizzly 2* ! Quant à lui, il reste avec son ulcère, sa maison et leur cochon vietnamien qui mourra en 2006. Cet animal, à bien y regarder, reste à ce jour sa plus longue relation.

Talia Balsam (1989-1993) : premières noces

Mais quand va-t-il se marier ? Jusqu'à ses récentes noces italiennes, toute la presse se posait cette question. C'est vite oublier qu'avant Amal Alamuddin, il y a eu une autre Madame Clooney : Talia Balsam. Une comédienne avec laquelle il a beaucoup partagé. Comme lui, elle est déterminée à se faire une place à Hollywood... Comme lui, elle a toujours vécu sous le feu des projecteurs, fille de l'oscarisé Martin Balsam et de l'actrice de télé Joyce Van Patten. Quelques semaines après sa rupture avec Kelly Preston, George n'hésite donc pas à s'engager avec elle. Tous deux se connaissent en outre déjà bien. En 1984, ils sont sortis ensemble pendant un an et demi. L'histoire avait tourné court, mais cette fois, l'acteur est décidé à ne pas laisser passer sa chance. Le 15 décembre 1989, quelques mois à peine après l'avoir retrouvée, il embarque Talia, la mère de celle-ci et deux amis dans un camping-car. Leur destination : Las Vegas, et la chapelle White Lace and Promises où le couple est uni par un sosie d'Elvis. L'acteur, qui n'a pas invité sa famille, passera ensuite sa nuit de noces à jouer au casino. « *J'avais déjà fait le grand saut et je me disais : "Que puis-je perdre de plus ?"* » expliquera-t-il plus tard à *TV Guide*.

Le jeune marié ne semble pas franchement à la noce... Et la suite sera à l'avenant, avec un George focalisé sur sa carrière et ses amis, et résolu à vivre comme le célibataire qu'il n'est plus. Évidemment, Talia Balsam se sent esseulée dans cette relation et trois ans plus tard, fin 1992, le couple lance une procédure de divorce. « *Talia et moi sommes restés longtemps ensemble. Elle était la fille que j'avais toujours voulu épouser et j'étais amoureux d'elle,* résume-t-il. *J'avais alors vingt-huit ans et, dans le Kentucky, à cet âge, vous êtes supposé vous marier. J'avais donc une vision précise du mariage, mais comme cela ne correspondait pas exactement à la réalité, je l'ai pris comme un échec. Je ne me suis pas bien comporté dans cette histoire. Nous devions aménager un peu notre relation, mais je me suis éloigné. Peut-être avais-je peur, peut-être n'étais-je pas prêt. C'est cent pour cent ma faute*[1]. »

---

1. Cité par Shana Cushman, *George Clooney. Derrière le miroir*, Éditions Hors Collection, 2008.

Une séparation sur fond de mea-culpa qui ne surprend d'ailleurs pas ses proches. Peu après, ses amis confirment dans la presse que le rôle de mari ne lui convenait pas. Quant à son propre père, il porte un regard sans concession sur cette rupture. « *Ils n'auraient sûrement pas dû se marier alors que la carrière de George était sur le point de décoller. Aucun des deux n'est coupable. Ils étaient seulement trop pris pour faire les efforts nécessaires à un mariage*[1] », lâche Nick Clooney. S'apitoyer n'est pas dans la nature du journaliste, mais il offrira quand même à cette époque à son fils la Corvette qu'il a toujours convoitée. Ce lot de consolation ne reboote pas totalement George, qui reste amer d'avoir dépensé quatre-vingt mille dollars en frais légaux… Mais surtout empreint d'une certitude, qu'il ne cessera de clamer les vingt années suivantes : la bague au doigt ne lui sied résolument pas ! « *Je ne pense pas que je me remarierai. Je n'ai pas beaucoup apprécié cette période de ma vie. Ce n'est pas que je n'aimais pas ma femme, mais je ne suis pas doué pour jouer les époux*[2]. » L'adepte du mariage pour tous, sauf pour lui, est alors bien décidé à ne jamais replonger dans cet « enfer », comme il l'a parfois défini.

---

1. Cité par Kimberly Potts, *George Clooney : the Last Great Movie Star*, Applause Editions, 2007.
2. Entretien accordé à *Playboy*, juillet 2000.

Kimberly Russell (1994-1996) : liberté chérie

À peine divorcé, George Clooney entame une nouvelle histoire de trois ans avec l'actrice afro-américaine Kimberly Russell. Il la rencontre sur le tournage d'une pub Martini et cette ex d'Eddie Murphy est tout de suite fan du Dr Ross d'*Urgences*. «*Sortir avec lui était délicieusement différent. Eddie était très prétentieux, avec ses gardes du corps et ses limousines. George préférait m'emmener passer une journée en moto, dans le désert*[1].»

Des débuts prometteurs, jusqu'au jour où la brune aborde ce qui, pour George, est devenu un sujet rédhibitoire. «*Après trois ans ensemble, je voulais une famille. Je voulais que nous soyons mari et femme. Mais il m'a dit sans ménagement que ça ne risquait pas d'arriver. J'avais envie d'enfants. Il m'a répondu qu'il ne voulait jamais en avoir*[2].» La rupture ne tarde pas, sous la forme d'une lettre que Clooney lui aurait envoyée. «*Il a une phobie de l'engagement. Dès qu'il croit qu'une fille pense à se poser, il décroche*», conclut l'actrice.

Céline Balitran (1996-1999) : l'amour à la française

Quelques semaines plus tard, en août, s'ouvre une nouvelle page de sa vie sentimentale. L'acteur est à Paris. Il a

---

1. Citée par D. H. Barkley, *George Clooney, from Bachelor to Betrothed*, BookBaby, 2014.
2. *Ibid.*

profité d'une pause sur le tournage européen du *Pacificateur* pour passer quelques jours en France. Et lors d'une soirée avec deux amis, il tombe sous le charme d'une jeune femme de vingt et un ans, Céline Balitran. Étudiante en droit le jour, elle travaille le soir comme hôtesse dans un établissement branché, le Barfly, où elle voit débarquer la star. Selon le récit qu'elle en fera, elle ignore alors son identité. Mais à la réaction des gens présents, elle comprend vite qu'il n'est pas anonyme. Elle va pourtant se faire désirer, obligeant la star à revenir plusieurs soirs d'affilée. L'affaire est conclue lors d'un week-end à la campagne chez le patron de Céline, où ils ont été tous deux invités. Un premier baiser dans les bois plus tard, il doit rentrer aux États-Unis. Mais il a veillé à prendre son numéro, et l'invite rapidement à lui rendre visite. « *Entre George et moi, ça a été un coup de foudre,* se souvient-elle. *Je sais que cela peut paraître candide, mais il représentait pour moi tout ce qu'une femme peut désirer. Charmant, drôle, intelligent, extrêmement beau… Deux semaines et demie après notre rencontre, je suis partie le retrouver à Los Angeles*[1]. » Sur place, celle que ses proches appellent dorénavant Cendrillon vit un conte de fées. Quelques jours après être arrivée, elle décide d'ailleurs de rentrer faire ses valises à Paris pour s'installer avec la star.

---

1. Citée par Kimberly Potts, *George Clooney : the Last Great Movie Star, op. cit.*

« *J'ai donné mes meubles à des amis, fait suivre mon courrier, payé mes factures, et dit à tout le monde que j'allais vivre aux États-Unis*[1]. » Seul hic : la notoriété de l'acteur est alors en train d'exploser. À trente-cinq ans, il rattrape le temps perdu et enchaîne les rôles. *Urgences* bien sûr, mais aussi *Batman et Robin*, *Hors d'atteinte*, *Les Rois du désert*, *O'Brother*, *En pleine tempête*... George squattant les plateaux, sa petite amie s'occupe sans lui. Elle décore un peu sa maison, la célèbre Casa de Clooney, et elle devient à la fois mannequin et assistante maternelle (une voie qu'elle a depuis poursuivie en ouvrant une école en région parisienne) !

Mais derrière les sourires sur les tapis rouges, qu'elle n'aime pas, la jeune femme a d'autres aspirations. Et elle trouve vite lassant d'entendre son compagnon s'affirmer à longueur d'interview marié à son boulot – lui qui disait pourtant que le fait que Céline ne soit pas actrice était « *un plus* ». Au printemps 1999, elle le quitte donc après trois ans de relation amoureuse. Certains tabloïds diront qu'elle ne supportait plus l'omniprésence du cochon Max, qui a long-temps dormi avec la star, de son propre aveu à *Rolling Stone*. Mais celle qui intègre *La Ferme Célébrités* cinq ans plus tard donne une version bien différente. « *Je voulais une vraie*

---

1. Entretien accordé à *Paris Match*, décembre 1996.

famille et des enfants. Mais George ne voulait pas en entendre parler», analyse-t-elle dans les pages d'*Oh la !* L'acteur n'en a d'ailleurs jamais fait mystère. «*Je ne ressens pas ce besoin qu'ont beaucoup de gens de se reproduire. Si cela semble égoïste, tant pis,* affirme-t-il en effet. *Un jour que je discutais avec mon père de l'idée de postérité, je lui ai dit que j'aimais faire des films car ils perdureraient après ma mort. Je lui ai dit que peut-être mes films étaient mes enfants*[1]. »

Céline réalisera ce désir sans lui, épousant d'abord le réalisateur américain David Rosenthal puis le vice-président de Warner Bros, Emmanuel Durand, avec qui elle a eu deux fils.

Mais le motif de rupture commence en tout cas à devenir comme familier, après l'épisode Kimberly Russell. «*Je sais que ce ne sera jamais le bon moment pour lui. Je respecte son choix, pour cette raison, nous ne pouvions plus être ensemble*», poursuit-elle. Un départ que George prend bien, sans doute soulagé de pouvoir à nouveau se consacrer à sa carrière et à ses amis. Quitté, il endosse même la responsabilité de leur séparation. «*Mes priorités font que le travail l'emporte sur tout, même si cela m'éloigne deux ou trois mois de la personne qui partage ma vie,* avoue-t-il au *Sunday Mirror. Tel est mon choix de vie.* » Un choix qu'il n'hésite pas à réaffirmer

---

1. Entretien accordé à *Playboy*, juillet 2000.

ensuite : « *En ce moment, je travaille seize heures par jour. Je n'ai pas le temps de sortir avec quelqu'un*[1]. » Il y dérogera pourtant très vite : par nature, George a horreur du vide.

Lisa Snowdon (2000-2005) : show devant !

L'histoire d'amour de George avec la Française s'est arrêtée, mais il n'a apparemment pas tiré un trait sur l'Europe. En novembre 2000, il est en Espagne pour le tournage d'une pub, sur lequel il remarque Lisa Snowdon, un mannequin britannique. Il faut dire que la brune de vingt-huit ans ne passe pas inaperçue. Sexy et très expansive, elle a été repérée neuf ans plus tôt par un agent, alors qu'elle s'essayait au pole dance en boîte avec des amis. Plus tard, elle sera connue pour un conseil beauté impérissable, glissé dans la presse anglaise en avril 2011 : « *Je ne fais pas de régime. Je mange des Mars. Je fume et je bois. Mais je n'hésite pas à faire l'amour en pleine journée pour brûler des calories. Le sexe garantit ma ligne.* »

Cette personnalité télégénique convainc l'acteur de s'afficher avec elle. De retour à Los Angeles, il lui réserve un billet en première classe pour venir passer une semaine chez lui. Pendant ce séjour, il lance l'opération séduction : sorties dans les lieux branchés de la ville, barbecues chez ses

---

1. Entretien accordé au *Guardian*, janvier 2002.

amis people, visite du tournage de la série *Friends*... Elle repart rapidement dans son Essex natal mais entame alors une relation de cinq ans, entre l'Angleterre et les États-Unis, entrecoupée de nombreuses ruptures. À l'été 2005, la séparation est définitive, laissant la jeune femme avec un regret : « *C'était vraiment dur. Les gens pensaient que je ne sortais avec lui que pour accélérer ma carrière. Ça a été le contraire. On ne m'embauchait plus : avec cette nouvelle vie, les professionnels pensaient que le mannequinat ne m'intéressait plus*[1]. » Lisa, que ses proches décrivent comme ayant toujours voulu devenir célèbre, ne perd pourtant pas tout dans l'affaire : si elle doit faire une croix sur George, elle gagne une place d'animatrice télé, puis joue les candidates en 2008 dans *Strictly Come Dancing*, le *Danse avec les stars* anglais. Une notoriété sur laquelle elle reste lucide : « *Je serai toujours l'ex de George Clooney. Je pense qu'on l'écrira sur ma pierre tombale*[2]. »

Sarah Larson (2007-2008) : « Souriez, vous êtes filmés »

C'est en juin 2007 que l'acteur croise la route de sa prochaine compagne officielle, Sarah Larson. À Las Vegas pour la première d'*Ocean's Thirteen*, il se rend à une fête au

---

1. Entretien accordé au *Sun*, août 2008.
2. Entretien accordé au *Daily Record*, mai 2013.

Whiskey, l'un des bars de son grand ami Rande Gerber, où la jeune femme de vingt-huit ans est serveuse. Il l'a déjà rencontrée trois ans auparavant mais elle était alors en couple. Entre-temps, l'ex-gogo danseuse a étoffé son CV d'une victoire à *Fear Factor* avec son boyfriend de l'époque, et elle est ravie de voir que la star s'intéresse toujours à elle. « *Il m'a envoyé des SMS et nous avons commencé à parler. Il est drôle, gentil et tellement agréable*[1] », s'enthousiasme-t-elle.

Elle quitte d'ailleurs très vite son job à Las Vegas pour le suivre à Los Angeles, en Italie, puis dans nombre de déplacements. Dès septembre, quelques semaines à peine après leur coup de cœur, ils font ainsi fureur au Festival de Deauville et à la Mostra de Venise. Et après un accident de moto qui les laisse un peu ébranlés, ils remettent ça en février, sur le *red carpet* des Oscars, où la brune est la première femme à l'accompagner. « *C'était un peu comme du mannequinat*, explique celle qui signe d'ailleurs un contrat dans une agence à ce moment-là. *Je souriais et disais bonjour*[2]… » Cette officialisation rapide fait très vite prédire aux magazines people de prochaines fiançailles. Mais l'acteur – âgé alors de quarante-six ans – ne tarde pas à démentir. Quitte à

---

1. Entretien accordé à *Harper's Bazaar*, mai 2008.
2. *Ibid.*

blesser la jeune Sarah… Avec elle, il n'a d'ailleurs jamais fait preuve de beaucoup de tact.

Un journaliste du *New Yorker*, venu interviewer Clooney chez lui, raconte ainsi cette scène étonnante. « *Tu as entendu le message qu'on a eu ? C'est à propos de toi, tu sais !* » annonce ce jour-là la star à sa girlfriend… Il lui fait ensuite écouter le message en question, qui lui demande de « *larguer cette salope avant de le regretter !* » L'attaque la laissera dépitée. Une anecdote un peu cruelle mais, selon certains, révélatrice de l'attitude de l'acteur à l'égard de sa petite amie. « *Avec elle, il alternait le chaud et le froid* », rapportait alors un proche de la brune. En mai 2008, l'atmosphère se rafraîchit définitivement : George Clooney quitte la jeune femme, lassé de son besoin d'attention et d'intimité. « *C'était un peu épuisant parce que tout le monde adore George*, se souviendra-t-elle ensuite au micro d'*Access Hollywood*. *Il faut énormément prendre sur soi.* » Mais l'année suivante ses mots se feront moins nuancés dans les pages du *Star*. Dans une interview exclusive, l'ex de l'acteur aborde sans prendre de pincettes les détails intimes des nuits qu'ils ont partagées. « *George est juste bon comme coup d'un soir. Au lit, il n'est pas vraiment plus excitant qu'un comptable ! Il ne parvient pas à le faire plus d'une fois par nuit* », affirme-t-elle, avant de lancer une pique à la nouvelle conquête du moment de George, Elisabetta Canalis : « *Il ne se mariera jamais, encore moins avec cette show-girl italienne. Je ne dis pas que son histoire avec cette femme n'est pas vraie, mais à mon avis, elle ne passera pas l'été. George est fondamentalement amoureux de lui-même. Il jure vouloir t'épouser, te dit que tu es irremplaçable, unique... et puis il te jette*[1] *!»* Aïe, est-ce le discours d'une femme jalouse ? Aurait-elle mal encaissé les mauvaises blagues de George pendant leur relation ? Elle ne s'expliquera jamais à ce sujet.

Elisabetta Canalis (2009–2011) : religion cathodique

George croise le regard d'Elisabetta alors qu'il dîne sur la terrasse de l'hôtel Majestic à Rome. Il est en pleine discussion avec les propriétaires de la marque de prêt-à-porter Belstaff, avec laquelle il collabore. Mais rapidement, il remarque cette brunette incendiaire. Elle a trente ans – le parfait complément de ses quarante-huit printemps –, un physique de bombe et une petite notoriété en Italie. Ses faits d'armes ? Quelques rôles dans des films, des apparitions court-vêtues à la télé, des calendriers sexy où elle se montre topless... Mais surtout un tableau de chasse étoilé, avec entre autres les footballeurs Christian Vieri et Reginaldo Ferreira da Silva, ou le réalisateur Gabriele Muccino. Rien à voir cependant avec l'incroyable coup de projecteur que va

---

1. Citée par le magazine *Star*, août 2009.

lui apporter George. Elle rêve de sortir avec lui depuis longtemps, comme elle l'a toujours dit à ses amis. Lorsqu'il l'invite à l'accompagner à la Mostra de Venise, quelques semaines seulement après leur rencontre, elle est donc aux anges.

Pendant les deux années suivantes, Elisabetta Canalis squatte les tapis rouges à ses côtés. Elle sera même élue par le magazine *Vanity Fair* quatrième plus belle femme au monde. « *George a donné des couleurs à ma vie. Il me rassure et je me sens plus protégée que je ne l'ai jamais été. C'est comme si j'avais dix-huit ans à nouveau !* expliquera-t-elle. *Il est plus efficace qu'une opération de chirurgie esthétique*[1]. » Seuls moments de calme : les séjours qu'ils passent à la Villa Oleandra, propriété qu'il a achetée en 2001 à Laglio, un petit village au bord du lac de Côme. Un terrain connu pour elle, qui vit à une heure de là, à Milan. Mais ici, on préfère pourtant George, le fils prodigue, à la belle Sarde. Et aujourd'hui encore, les quelque neuf cents habitants de Laglio sont loin d'encenser celle qu'ils appellent avec dédain « la Canalis », et décrivent comme froide et distante. « *Lorsqu'il s'est installé ici, il était très simple et accessible,* nous explique ainsi le propriétaire d'un hôtel à quelques mètres de la maison de la star. *Il jouait au basket avec les*

---

1. Entretien accordé à *Vanity Fair Italie,* août 2010.

enfants du village, sortait beaucoup. Mais avec l'arrivée de la Canalis, ce n'était plus pareil. Beaucoup de paparazzis sont arrivés et George n'a plus pu profiter de la même façon[1]. »

D'autant qu'en juillet 2010, le nom de la brune apparaît dans une sombre enquête. Au menu, un savant mélange de drogue et de prostitution qui fera frétiller un temps la presse people internationale. L'affaire remonte à deux ans, lorsque Elisabetta était une habituée de The Club et de Hollywood, deux boîtes milanaises dans lesquelles des escort-girls n'avaient qu'une mission : séduire de riches clients pour leur faire consommer drogue et alcool ! « *J'ai pris de la cocaïne avec Elisabetta* », assure alors Karima Menad, une Française employée dans l'un des deux clubs, au très sérieux *Corriere della Sera*. Le scandale fait la une de tous les journaux du pays. La starlette a beau nier, l'affaire réussit à entacher le duo glamour qu'elle forme avec George Clooney. Et cette image sulfureuse se marie très mal à la réputation déjà politisée de l'acteur. Difficile en effet d'imaginer la teneur des discussions qu'elle a pu avoir avec certains de ses amis haut placés, tel Kofi Annan, le secrétaire général de l'ONU, venu un soir dîner chez George…

Est-ce pour se rassurer sur son statut qu'en juin 2011, elle tente une pression publique ? Peut-être. « *Je crois*

---

1. Entretien avec les auteurs, le 22 janvier 2016.

fermement en l'institution du mariage. Dans le futur, je serai une femme mariée », affirme-t-elle dans les colonnes du magazine *Chi*. À l'époque, elle prend même un malin plaisir à jouer avec les nerfs des paparazzis, s'affichant par exemple un soir avec un anneau à son annulaire. En réalité, ce n'est qu'un petit rond de serviette qu'elle vient de chiper dans un restaurant, mais instantanément, la rumeur est lancée ! Surtout que dans cette même interview, elle enfonce le clou avec un message très clair : *« Je ne pourrai pas être avec quelqu'un qui n'ouvrirait la bouche que pour dire qu'il ne veut pas d'enfant de moi ou ne souhaite pas m'épouser. »* Hasard ou coïncidence, quelques jours après la parution, le couple se sépare. La jeune femme en profite pour faire ses premiers pas sur le parquet de *Danse avec les stars*, aux États-Unis. Quant à George, il ne va pas tarder à retrouver un nouveau bol de romance dans lequel laisser infuser son petit cœur.

Stacy Keibler (2011-2013) : catch machine

À l'été 2011, quelques jours après sa rupture, la star est de retour dans son havre du lac de Côme. Seule différence : à son bras, Elisabetta Canalis a laissé place d'un claquement de doigts à Stacy Keibler, une catcheuse et mannequin de trente et un ans. Tous les deux se sont déjà croisés en 2006, à une fête. À l'époque, elle participe – elle aussi – à *Danse avec les stars* et c'est sous ce prétexte qu'il l'aborde. *« C'était très marrant,* raconte-t-elle alors à *People. George est venu me voir en me disant que j'étais super et que je méritais de gagner. J'étais un peu surprise qu'il regarde le programme!* » Si la discussion tourne court, tous deux ont des connaissances communes. Cinq ans plus tard, un ami joue les entremetteurs et les met en contact de nouveau.

La personnalité de la blonde? Joyeuse et sans chichis, de l'avis général. La description de l'acteur en est un peu différente : « *Elle est très grande. Elle peut me botter le cul*[1] », dit-il. Pendant deux ans, elle se contentera surtout de l'accompagner à nombre de galas et remises de prix. Avant une séparation discrète que certains mettront sur le compte de la différence d'âge. À moins bien sûr que la blonde n'ait eu d'autres projets, elle qui déclarait « *avoir envie d'une famille, et brûler d'être une mère au foyer*[2] ». Comme Kimberly, Céline ou Elisabetta avant elle, elle ne réalisera pas ce rêve avec George Clooney.

Les femmes de George : une typologie commune

Si elles sont nombreuses, les ex de l'acteur ont beaucoup en commun. Une plastique de rêve? C'est sûr. Une différence d'âge réglementaire? Aussi, comme le souligneront

---

1. Entretien accordé à *E! News,* novembre 2011.
2. Citée par D. H. Barkley, *George Clooney, from Bachelor to Betrothed, op. cit.*

d'ailleurs Tina Fey et Amy Poehler à la cérémonie des Golden Globes en 2014. «Gravity *raconte comment George Clooney préférerait dériver dans l'espace et mourir plutôt que de passer une minute avec une femme de son âge*», balancent les deux humoristes. Il est vrai que l'on n'imagine plus l'acteur sortir avec une Talia Balsam, son ex-femme, de deux ans son aînée. Au fil du temps, les écarts se sont d'ailleurs creusés avec ses compagnes. Dix ans le séparaient de Lisa Snowdon et de l'actrice Krista Allen, qu'il fréquente à la même période; dix-sept avec Sarah Larson et Elisabetta Canalis; dix-huit entre lui et Stacy Keibler.

Parmi ses dernières compagnes, on relève surtout la similitude des situations, au moment de leur rencontre avec George. Les qualités requises? Une petite notoriété télévisuelle qui n'empiète en rien sur celle de l'acteur. «*Il n'a pas besoin de jouer la compétition*, explique un agent américain. *Ces femmes entrent dans sa vie, il ne pénètre pas la leur*[1].» Trouver une Angelina Jolie ou une Jennifer Garner? Contrairement à ses amis Brad et Ben, ça ne l'a jamais motivé. Si la presse a bien essayé de le caser avec les stars Julia Roberts, Lucy Liu ou Ellen Barkin, il a toujours démenti. Et il faut bien dire qu'avant Amal Alamuddin, ses compagnes récentes – qu'elles soient serveuses ou starlettes

---

1. Cité par le *New York Post*, novembre 2011.

du petit écran – ne le concurrençaient absolument pas dans les deux domaines qui l'intéressent vraiment : la politique et le cinéma.

D'autant que l'acteur admet aimer « *garder le contrôle* ». Et cela fait déjà de longues années qu'il a intériorisé un principe fondamental dans sa vie personnelle : il n'a aucune envie de se mettre en danger pour une femme. « *Plus jeune, j'étais DJ dans un bar de Cincinnati. Et je voyais sans cesse des mecs aborder des filles, les draguer, les inviter à dîner… Tout ça pour que les filles écrabouillent leur ego. J'ai alors réalisé que je ne donnerais jamais ce genre de pouvoir. Je ne dirai jamais : "Tiens, voilà mon ego. Tu peux le balancer par terre et le piétiner*[1]*."* » De quoi discerner un objectif clair dans son approche du couple. Ses relations ne doivent pas entraver sa carrière. Jusque-là, il recherchait donc un même CV pour ses compagnes : « *des femmes avec un petit succès, mais qui ne le gêne pas* », selon le blogueur people Perez Hilton. « *Lorsque vous êtes avec George Clooney, votre boulot est d'être avec George Clooney*, analysait-il dans les pages du *New York Post*. *Aucune d'entre elles n'a réussi à le changer, mais je ne pense même pas qu'elles essaient. Elles sont juste heureuses d'être la copine de George Clooney, et elles savent qu'elles ont une date d'expiration*[2]. »

---

1. Cité par Jeff Hudson, *George Clooney : a biography*, Virgin Publishing, 2004.
2. Cité par le *New York Post*, novembre 2011.

L'amour dure trois ans

Un principe de péremption qui est toujours à peu près le même. Dans l'histoire sentimentale de George, la chronologie semble mécanique, avec des jeunes femmes soumises à une obsolescence programmée. «*Elle a duré aussi longtemps que je pensais qu'elle allait durer*», déclarait-il ainsi en octobre 1999 au magazine *Esquire* à propos de Céline Balitran. Soit trois ans, la longueur moyenne de ses histoires jusqu'à présent. «*Mes relations semblent durer entre deux et trois ans. Arrive alors le moment où ces femmes indépendantes pensent qu'il est temps d'en finir. Elles me voient voyager, écrire, réaliser, jouer, faire passer mon travail en premier. Je ne les blâme pas d'en vouloir plus.*»

D'autant qu'il ne semble jamais affecté par ses séparations. Après chaque rupture, il s'affiche en effet très vite avec la compagne suivante, de préférence lors de festivals ou de remises de prix. Rares sont ainsi les tapis rouges qu'il a foulés sans petite amie officielle, quand d'autres acteurs dits «célibataires» n'hésitent pas à assister à des cérémonies seuls, ou avec leur mère (à la façon de Leonardo DiCaprio ou Bradley Cooper)! Mais George, lui, aime le concept de «girlfriend» et ce, depuis le lycée. «*À l'époque, il sortait avec quelqu'un pendant plusieurs mois, explique sa* sœur Adelia. *Puis il sortait avec une autre personne pendant des mois*[1]. »

L'art de la rupture

Cette temporalité parfaitement intégrée par l'acteur a pu s'avérer frustrante pour ses partenaires. Mais toutes ont bénéficié après la rupture de lots de consolation. À commencer par une notoriété rapide et lucrative. En 2011, *Page Six* évaluait qu'en deux ans avec la star, Elisabetta Canalis avait gagné dix millions de dollars, entre contrats avec des marques et apparitions à la télé ! Le chiffre apparaît extrêmement élevé. Mais une chose est sûre : tout juste séparée, elle rebondit très vite dans *Danse avec les stars*, aux États-Unis. L'émission avait d'ailleurs aussi fait partie de « l'après-Clooney » pour l'Anglaise Lisa Snowdon. Comme si ce programme participait d'un « package », sur lequel les conquêtes de George pourraient compter après quelques années de bons et loyaux services. Quant à la catcheuse Stacy Keibler, son histoire avec l'acteur lui a permis de monnayer ses apparitions publiques deux fois et demie plus cher (de 10 000 à 25 000 dollars par soirée). Des « *portes ouvertes et des opportunités formidables* », également mentionnées par Sarah Larson, qui ont dû adoucir la séparation.

---

1. Entretien accordé au *Daily Mail*, juillet 2011.

De son côté, Clooney, en parfait gentleman, veille à maintenir ses ex dans un cocon financier. Ainsi, il fera tout pour que Céline Balitran, qui s'est déracinée pour vivre avec lui, puisse rester aux États-Unis. Une maison, de l'argent, un avocat pour son visa : autant de moyens mis à sa disposition. *« J'ai considéré qu'il relevait de ma responsabilité de m'assurer que, même si nous n'étions plus ensemble, sa vie n'en serait pas gâchée. J'ai donc fait en sorte qu'elle vive dans une belle maison et qu'elle ait de l'argent. Nous continuons à avoir des contacts téléphoniques et un homme de loi payé par mes soins peut résoudre ses éventuels problèmes de visa*[1] »*, confiait-il après la séparation. Et ce « service après-vente » explique peut-être aussi que ses ex aient souvent tenu des propos positifs et flatteurs à son sujet. Si, l'an dernier, on annonçait que Talia Balsam comptait le tacler dans *Divorce*, la nouvelle série de la chaîne HBO, les révélations tant attendues n'ont pour l'instant pas eu lieu. *« George est très romantique, il est charmant »*, se rappelle au contraire Lisa Snowdon. *« Il est délicieux et c'est un grand flatteur »*, renchérit Kimberly Russell. *« C'est l'homme qui a le mieux compris mon côté féminin »*, explique Elisabetta Canalis. *« Il a été spécial et très important pour moi, exactement comme un père peut l'être. Entre nous, il s'agissait plus d'une relation père-fille, ce que je*

---

1. Cité par Kimberly Potts, *George Clooney : the Last Great Movie Star, op. cit.*

n'arrivais pas à voir clairement à l'époque[1]*.* » Le souvenir n'est pas franchement charnel, mais il a au moins le mérite d'être apaisé, et préserve la bonne réputation de l'acteur.

Au suivant!

Pas de regret, donc, pour les ex de George Clooney. Surtout qu'elles partagent un autre point commun : elles ont toutes refait leur vie, quelques semaines à peine après leur rupture avec la star. À commencer par la dernière en date, Stacy Keibler. Le 20 août 2014, un an seulement après la fin de sa relation avec l'acteur, elle donne naissance à Ava. L'heureux papa ? L'homme d'affaires Jared Pobre, un ami de longue date, qu'elle a épousé quelques mois plus tôt et avec lequel elle aurait commencé à sortir la semaine suivant la séparation d'avec George. Une belle capacité à rebondir, surtout lorsque l'on se remémore le duo collé-serré qu'elle formait avec son ex sur les tapis rouges ! Cette autre vie est aussi aujourd'hui celle d'Elisabetta Canalis, devenue mère d'une petite Skyler avec son mari, le chirurgien Brian Perri. Aux oubliettes, donc, les deux ans passés avec l'acteur pendant lesquels elle avait admis « *se contenter de jouer les demoiselles d'honneur* ». « *George et moi n'avions jamais parlé mariage ou enfant*, a-t-elle depuis raconté. *Nous ne l'avons*

---

1. Citée par *People*, octobre 2011.

jamais envisagé ensemble[1]. » Enfin, en son temps, Kelly Preston s'était elle aussi précipitée dans les bras de Charlie Sheen, se fiançant avec lui six mois après sa séparation d'avec George !

Que signifie alors cet enchaînement rapide ? Une relation avec George Clooney donne-t-elle à ce point envie de construire avec un autre ? Et comment expliquer que des conquêtes qui se disaient follement amoureuses de l'acteur s'en remettent si vite ? Ces histoires auraient-elles été sur-jouées ? C'est ce qu'évoqueront certains sites américains, exhumant même parfois le terme de « *fauxmance* », ou de fausse romance. Meilleure incarnation de ce concept très hollywoodien : Tom Cruise et Katie Holmes. En 2013, un ouvrage du journaliste d'investigation Lawrence Wright, *Devenir clair. La scientologie, Hollywood et la prison de la foi*[2], mettait au jour ce qui avait parfois été deviné : pour trouver une femme à leur ambassadeur favori, les leaders de la scientologie auraient organisé différents castings, conviant les actrices Scarlett Johansson, Sofia Vergara, Nazanin Boniadi ou Jennifer Garner. Katie Holmes ne serait venue qu'ensuite.

---

1. *Ibid.*
2. Lawrence Wright, *Devenir clair. La scientologie, Hollywood et la prison de la foi*, Piranha, 2015.

Des unions fabriquées qui sont aussi parfois soufflées par les agents de stars. Et des couples comme ceux qu'ont formés Michael Jackson et Lisa Marie Presley ou Zac Efron et Michelle Rodriguez ont eux aussi été remis en question par des journalistes. L'intérêt de ces unions ? Façonner une image médiatique, que ce soit pour réaffirmer son hétérosexualité ou s'offrir un coup de pub bon marché. Au nombre des duos de raison, difficile également de ne pas évoquer Claudia Schiffer et David Copperfield, dont on avait dit que l'alliance gagnant-gagnante avait offert au magicien la notoriété en Europe, et à la blonde, le succès aux États-Unis. Et on peut enfin se souvenir de la façon dont Cindy Crawford – proche amie de l'acteur – avait été montrée du doigt après son mariage avec Richard Gere.

Alors, George Clooney a-t-il été tenté par ces romances de façade ? Et aurait-il pu conclure des contrats avec les femmes de sa vie ? Le procédé existe depuis des décennies aux États-Unis. « *Hollywood a créé de toutes pièces ses stars, et la machine publicitaire censée les promouvoir*, expliquait le journaliste David Plotz dans un article publié par *Slate* en juillet 2003. *Dès les années vingt, les patrons de studios et les journalistes people ont su qu'il était important que les idoles du moment vivent de grandes romances. Les patrons, qui exerçaient une autorité absolue sur leurs acteurs, ont donc exploité les vraies alliances, ou en ont fabriqué de fausses.* » Le but ?

Entretenir l'attention des fans. Et aujourd'hui, le principe a été intériorisé par les comédiens eux-mêmes et leurs agents. *« Inconsciemment, les stars de cinéma sont devenues leurs propres attachés de presse*[1], analyse la célèbre productrice Lynda Obst. *C'est instinctif. Elles n'ont besoin de personne pour savoir que se montrer à deux est bon pour une carrière.* » Au printemps 1998, ce sont d'ailleurs les agents de Brad Pitt et de Jennifer Aniston qui arrangeaient leur premier rendez-vous. Ils ne se connaissaient pas encore, mais leurs équipes avaient déjà compris qu'entre une star de cinéma et une coqueluche de série télé, cela devait « matcher ». Quant à la suite, elle est très simple. Après ces coups de foudre organisés, viennent des apparitions publiques régies par une loi, et une seule : « *se tenir la main et se regarder amoureusement quelle que soit la situation* », selon la journaliste Jeannette Walls. Et enfin, un premier tapis rouge côte à côte, qui représente carrément « *l'équivalent hollywoodien d'une marche vers l'autel* », pour l'éditorialiste Elizabeth Snead.

Un processus qui rappelle les relations de George Clooney. Aussi bien dans les circonstances des rencontres – son agent est au moins intervenu dans son histoire avec Kelly Preston – que dans l'officialisation. Et s'afficher

---

1. Citée dans un article de *Slate*, juillet 2003.

avec ces belles jeunes femmes n'a pu que renforcer sa masculinité et son sex-appeal. D'autant qu'il a évité un écueil :
devenir inaccessible. « *Lorsqu'un acteur sexy se marie, cela le
rend moins désirable et il est moins intéressant pour le public* »,
reprend David Plotz. En jouant pendant si longtemps les
éternels célibataires – amoureux mais pas casé –, George n'a
donc pas entamé son potentiel glamour. D'un point de vue
marketing, il a bien fait de résister aux pressions de ses
compagnes et à leur envie de construire une famille. Des
ex qui, de leur côté, sont sorties de cette histoire plus
riches et célèbres, et libres de passer très vite à autre chose.
Ces gains réciproques pourraient d'ailleurs en partie expliquer qu'elles ne se soient pas répandues dans la presse.
Pourtant, les sollicitations des journalistes ont été nombreuses et les rédactions américaines leur ont proposé
des fortunes pour obtenir des confessions croustillantes et
exclusives. Mais il est important de noter que cette réserve
post-séparation n'est pas inédite à Hollywood : il suffit
de repenser à l'accord qui avait imposé à Katie Holmes de
ne rien révéler de la scientologie après son divorce d'avec
Tom Cruise.

Que penser alors du palmarès amoureux de George
Clooney ? Avons-nous assisté à des histoires sincères ou à de
belles mises en scène ? De l'avis même de ses proches, sa vie
sentimentale n'a jamais été très épanouissante. « *Si tu passes*

dix minutes avec lui, tu comprends qu'il est triste, explique son ami Tommy Hinkley. *Il croit qu'il n'existe qu'un choix : tu as soit une carrière, soit l'amour*[1]. » Nul ne peut remettre en question sa carrière. En revanche, pour ce qui est de l'amour, la réponse semble plus nuancée.

---

1. Cité par Kimberly Potts, *George Clooney : the Last Great Movie Star, op. cit.*

IV

TOUCHE PAS À MES POTES !

« Il y a quelque chose d'attirant chez les mecs.
Une camaraderie que j'adore vraiment. »

George Clooney

Aucun désir d'enfant, et des femmes qui n'entrent dans sa vie qu'en CDD… Pendant des années, George Clooney n'a pas manifesté l'envie de construire. Et sa vie n'a longtemps été soumise qu'à une seule temporalité : le court terme. Quelques mois pour les films qu'il enchaînait, et deux ou trois ans passés avec ses compagnes successives.

Il est pourtant un domaine dans lequel il a toujours fait preuve de constance : l'amitié. Sa bande forme un bloc autour de lui depuis plusieurs décennies – un exploit dans la Cité des Anges ! *« Nous sommes ce qui fait de lui George. Tout le reste contribue à la construction de George*

Clooney[1]», explique l'un de ses acolytes, l'acteur Richard Kind. Depuis trente ans, la star est ainsi fidèle à son «gang», avec lequel il a instauré différents rituels, comme les parties de basket et les barbecues du dimanche. Si, dans la vie de George, les femmes ne font que passer, les copains, eux, resteront à ses côtés. «*Mes amis sont très importants pour moi*, confie-t-il. *Quand vous êtes dans ma position, vous rencontrez beaucoup de personnes agréables. Mais eux sont véritablement mon noyau dur*[2].» Un club très fermé que beaucoup aux États-Unis rêveraient d'intégrer. Or il y a quatre ans, un Français a réussi cet exploit.

Février 2012, Los Angeles. Dans ce pays qu'il ne connaît pas encore bien, Jean Dujardin est en campagne. Les Oscars vont avoir lieu dans quelques jours, et producteurs, acteurs et scénaristes sont en plein lobbying pour remporter le précieux sésame. En coulisses, «The Artist» décroche néanmoins un «trophée» quasiment plus convoité : George Clooney. Les deux acteurs sont certes en concurrence pour la même statuette mais ils partagent un humour similaire. Grâce à leurs nombreux fous rires, ils vont donc très rapidement se rapprocher. «*À l'époque, Jean parlait un anglais*

---

1. Cité dans un article de *USA Weekend*, septembre 1997.
2. Cité par Dan Whitehead, *The Unofficial and Unauthorised Biography of George Clooney*, Kandour Ltd, 2004.

très, très approximatif, raconte deux ans plus tard l'Américain dans les colonnes du *Parisien. Mais il m'a fait hurler de rire lorsqu'il s'est mis à imiter un chameau ! [...] Depuis, on est amis. [...] C'est l'un des mecs les plus drôles que j'aie rencontrés dans ma vie* [1]*. »* Un clown-né pour Clooney, qu'il enrôlera ensuite avec lui dans la superproduction *Monuments Men,* puis dans une pub Nespresso. Autant dire des opportunités incroyables pour le Frenchy tout juste connu à Hollywood. George, cet ami qui vous veut du bien...

L'empire de la farce

Si son travail a toujours été une priorité, l'acteur en possède une deuxième dans sa vie : les potes. À commencer, bien sûr, par la bande d'*Ocean's Eleven,* et celui avec qui il entretient une véritable « *bromance* [2] » depuis le tournage, en 2000 : Brad Pitt. Et pourtant, entre les deux sex-symbols, les choses étaient mal engagées. Comme nous l'avons mentionné, le plus grand regret de George Clooney est de ne pas avoir obtenu le rôle joué par Brad dans *Thelma et Louise.* « *Nous n'étions plus que trois en lice. Il y avait Brad, un autre acteur et moi. J'avais lu mon texte cinq fois avec Geena Davis.*

---

1. Entretien accordé au *Parisien-Aujourd'hui en France,* le 12 mars 2014.
2. Contraction de « *brothers* » et de « *romance* ».

J'étais pratiquement sûr d'avoir le rôle, mais non, c'est Brad Pitt qui l'a emporté. Ce personnage l'a révélé au grand public. Pendant deux ans, j'ai refusé de voir le film. Mais un soir, je l'ai loué et je l'ai maté seul chez moi. Brad est parfait dans ce rôle, c'est une évidence, je n'aurais jamais pu être aussi bon qu'il l'a été[1]. » Un faux départ qu'il oublie une décennie plus tard, en devenant son ami. George Clooney et Brad Pitt partageront d'ailleurs l'affiche de plusieurs films, tels *Confessions d'un homme dangereux* ou *Burn After Reading*. Et même si les deux stars se voient assez peu hors plateaux – l'influence, selon certains, de l'intraitable Angelina Jolie –, George ne manque jamais une occasion d'évoquer son copain en interview. « *Non seulement j'apprécie Brad en tant que personne et je respecte son talent, mais j'aime aussi ce qu'il fait pour le monde* », expliquait-il, en février 2012, au magazine gay *The Advocate*, avant d'ajouter : « *Je suis très fier de pouvoir l'appeler mon ami.* »

Une relation forte, qui ne reste cependant pas toujours sur le terrain de l'intellect. La spécialité du duo ? Se piéger à coups de blagues potaches. Avec Brad, George – dont la propre mère a longtemps pensé qu'il deviendrait humoriste – a trouvé un partenaire à sa mesure. Et leurs canulars deviennent vite légendaires à Hollywood. Comme ce jour

---

1. Entretien accordé à *Playboy*, juillet 2000.

de 2004 où, sur le tournage d'*Ocean's Twelve* en Italie, Monsieur Jolie lance la rumeur que Clooney interdit désormais à l'équipe de le regarder dans les yeux, et exige qu'on ne l'appelle que du nom de son personnage, Danny Ocean. Petit problème : la presse locale prend la farce au sérieux. Et il devient dans les journaux « Il Divo », loin de son image habituelle de bon gars sympa et accessible. Réponse de l'intéressé ? La vengeance. Quelques mois plus tard, il fait arrêter Brad, après avoir collé sur sa plaque d'immatriculation un autocollant en forme de feuille de cannabis, disant « *J'emmerde les flics* ». Une blague récurrente, puisqu'il avait déjà auparavant décoré la voiture du blond avec des stickers « *Petit pénis à bord* » et « *Je suis homosexuel et je vote* ». Retour à l'envoyeur ! Enfin, un tour d'horizon de leur amitié ne saurait oublier un autre de leurs gags fétiches : les concours de pets – « *la chose la plus drôle au monde* » selon George – que l'équipe d'*Ocean's Eleven* se rappelle avec émotion. « *Une fois, ils nous ont même fait le coup alors que nous étions dans un avion*, raconte le scénariste Ted Griffin. *Quand tu es à dix mille mètres d'altitude, et que tu ne peux pas ouvrir la fenêtre, c'est vraiment dur*[1] *!* » Désormais, leurs blagues n'auront aucune limite, et ils iront toujours plus loin dans la surenchère.

---

1. Cité par Jeff Hudson, *George Clooney : a biography*, Virgin Publishing, 2004.

Brad Pitt n'est d'ailleurs pas le seul à subir les taquineries de la star. Une belle brochette d'autres collègues et amis en ont, à un moment ou un autre, fait les frais. Sur le tournage de *Monuments Men*, Matt Damon a par exemple cru qu'il grossissait sans raison, semaine après semaine. En réalité, George avait demandé à la costumière du film de lui rétrécir régulièrement ses pantalons. Bill Murray, de son côté, a eu droit, lors du même tournage, à une valise lestée de cinq kilos de gravats. Et le grand producteur Jerry Weintraub, depuis disparu, s'était même réveillé d'une sieste en avion avec le slip plein de M&M's ! Quand il s'agit de rire, George ne craint personne. Pas même Arnold Schwarzenegger, son partenaire de jeu dans *Batman et Robin*, qu'il avait osé entraîner dans un concours de picole un peu déséquilibré. En effet, il avait payé une serveuse pour qu'elle ne lui apporte que de l'eau toute la soirée, tandis que Governator, lui, enchaînait les vodkas très chargées !

Une manie de la blague éprouvée aussi par l'acteur Richard Kind, connu pour son rôle dans la sitcom *Spin City*. Dès leur rencontre, en 1987, sur le tournage de *Bennett Brothers*, où ils interprètent des frères, les deux hommes se sont trouvés. Et si la série est très vite abandonnée, leur amitié, elle, demeurera. Immanquablement, Kind devient donc la cible privilégiée des gags de Clooney. Ainsi, c'est à lui qu'il a fait croire pendant six mois qu'il prenait des cours de peinture, lui parlant de sa nouvelle « passion » et le traînant dans des galeries. Le but : voir sa tête lorsqu'il lui offrirait une croûte – une grosse femme nue – trouvée dans une poubelle. Sauf qu'il dit l'avoir peinte, et garde le secret pendant six ans, alors que son ami se sent obligé d'afficher l'immonde tableau chez lui, de peur de le vexer ! *« Il y a une joie incroyable dans le fait de tout mettre en place, puis d'attendre que cela se passe, confirme-t-il à Esquire. Attendre, attendre. Et les voir plonger lentement. Certaines plaisanteries peuvent prendre des années. Cela me fait rire comme un fou[1]. »* Chez l'acteur, passé virtuose dans l'art du piège, même les blagues potaches sont scriptées et réfléchies ! *« George Clooney, c'est la classe absolue mais dans sa tête, il a douze ans et demi[2] »*, a depuis résumé Jean Dujardin sur Europe 1. Et sur les tournages, l'essayer semble revenir à l'adopter, avec des co-stars qui se confondent toujours en compliments. Julia Roberts, Sandra Bullock, Julianna Margulies… ses partenaires sont toutes tombées sous son charme amical. *« Je suis sincèrement très attachée à lui. Et j'ai même envie de le protéger »*, explique Tilda Swinton, actrice elle aussi fétiche des frères Coen. *« Il descend d'une lignée d'artistes et d'amuseurs.*

---

1. Entretien accordé à *Esquire*, janvier 2012.
2. Entretien accordé à Nikos Aliagas, *Sortez du cadre*, sur Europe 1, le 29 novembre 2014.

C'est une tradition dont il a hérité, et qu'il est fier de perpétuer[1]. »

Boys, Boys, Boys

Sur les tournages, George Clooney fait donc forte impression, et sa vie est régulièrement ponctuée de nouvelles amitiés. Mais il reste cependant fidèle à son « gang » de toujours : huit potes rencontrés à son arrivée à Los Angeles, il y a trente-cinq ans. Il en a découvert certains, aspirants comédiens comme lui, lors de castings. D'autres, sur les terrains de basket. Leur surnom officiel ? « Les Boys ». *« C'est un lien qui nous définit*, analyse-t-il. *Ils sont ma famille[2].* » Un groupe de *« bros »*, de « frères », dont il est l'épicentre, et avec lequel il a tout partagé : les galères, comme les succès. En 1995, dès les premiers gros cachets obtenus grâce à *Urgences*, il les emmène tous passer Noël à Acapulco. En 1996, ce sera Hawaï, et l'année suivante, un marathon de golf à travers les meilleurs greens du pays. Sans compter la moto qu'il offrira à chacun, histoire de pouvoir prendre la route tous ensemble, et avec style. *« Ce que je préfère dans le fait de gagner de l'argent, c'est de pouvoir le*

---

1. Citée dans un article du *New Yorker*, avril 2008.
2. Cité par Dan Whitehead, *The Unofficial and Unauthorised Biography of George Clooney*, *op. cit.*

partager avec mes potes. Je squattais leurs appartements quand je n'avais pas un sou et ils m'ont accompagné dans toutes mes aventures[1]. » Dès les premiers succès, il les imposera également sur ses projets professionnels, ce qu'il continue de faire aujourd'hui. Comme Thom Mathews, qui l'a suivi d'*Urgences* au *Pacificateur* : une façon pour George de lui rendre la monnaie de sa pièce, lui qui l'avait hébergé à ses débuts, lui offrant gracieusement le gîte. Certes, il ne disposait que du seul espace libre dans son appartement : un grand placard ! Mais ces moments scellent une amitié indéfectible. Pareil pour Grant Heslov, qui a scénarisé et produit les films réalisés par Clooney, et avec lequel il fondera la société de production Smoke House en 2006. Un beau retour des choses pour celui qui lui avait prêté cent dollars afin de réaliser les premières photos pour illustrer son book d'artiste. Il l'a aussi maintes fois dépanné financièrement pendant ses premières années à Hollywood.

« *C'est la personne la plus loyale que j'aie rencontrée de ma vie*[2] », confirme Noah Wyle, devenu proche de George sur le tournage d'*Urgences*. Et cette qualité, ses Boys peuvent en témoigner, notamment au travers d'une anecdote qui a marqué leur groupe. En 1998, lorsque le père de Richard

---

1. Entretien accordé à *Playboy*, juillet 2000.
2. Cité par Kimberly Potts, *George Clooney : the Last Great Movie Star, op. cit.*

Kind décède, son fils se précipite vers la côte Est, pour les funérailles. Les sept autres Boys sont alors tous dispersés dans le pays, occupés par leurs jobs respectifs. Mais George Clooney va tout organiser, pour aller les récupérer les uns après les autres en jet privé et les conduire directement sur le lieu des obsèques. Une surprise de taille pour leur ami, qui ne s'attend pas à les voir dans la synagogue. « *Richard a commencé à parler de son père, et tout à coup, il a levé les yeux et a vu tous ses potes en costume noir, assis dans le fond*, se souvient Clooney. *Il a fondu en larmes et expliqué que ses meilleurs amis étaient là. Voilà des moments qui rendent fier*[1]. » Prouver régulièrement à ses Boys qu'ils comptent pour lui restera essentiel, quitte à reléguer au second plan les femmes de sa vie. En témoigne sa première épouse, Talia Balsam. « *Il a passé plus de temps avec ses amis qu'avec moi pendant notre mariage*[2] », confie-t-elle. Après leur divorce, en 1993, George s'installe d'ailleurs neuf mois chez Richard Kind pour se remettre… À moins que ce n'ait été pour fêter sa liberté recouvrée ! Un peu plus tard, Céline Balitran s'entend aussi rappeler clairement les priorités de son petit ami, lorsqu'il ne l'invite pas à ses vacances d'anniversaire en Floride. Le motif : le séjour est interdit aux femmes ! Après

---

1. Entretien accordé à *Playboy*, juillet 2000.
2. Citée par Jeff Hudson, *George Clooney : a biography, op. cit.*

leur rupture, l'acteur aura d'ailleurs tout le loisir de renforcer les traditions de sa légendaire Casa de Clooney. Haute
de deux étages et pourvue de huit chambres, cette résidence
de style Tudor a été transformée par George en terrain de
jeux pour lui et ses amis. Les petits plus de cette « *Playboy
Mansion sans le sexe* », comme il l'a souvent décrite ? Son
fumoir, son bar à Guinness, son immense barbecue, son
terrain de basket, ou le pavillon d'amis avec table de poker.
Une ambiance très virile, malgré les femmes qui s'y sont
succédé plus ou moins longtemps. « *Chaque dimanche, ils
viennent chez moi*, dévoilait-il en 2000 à *Playboy*. *On se
balade à moto, on joue au basket, puis on se repose au spa.* »
Des activités que tous – George le premier – ne rateraient
pour rien au monde. « *Nous y travaillons dur. J'ai plus bossé
à faire fonctionner mes amitiés que mon mariage.* » Au fil du
temps, la Casa de Clooney deviendra d'ailleurs le refuge
idéal des amis divorcés. Sur la cheminée du salon, trône
même une statue offerte par l'acteur Tommy Hinkley :
représentant un dragon, elle est spécialement dédiée à
accueillir les alliances retirées !

« *Nous nous appelons chaque jour*, raconte George. *Ça n'a
rien d'obsessionnel mais c'est simplement pour savoir comment
ça va. C'est juste de l'amitié, et c'est le meilleur groupe de
soutien imaginable. C'est vraiment ce qui compte quand tout*

fout le camp[1]. » Totalement accro à ses Boys, Boys, Boys, il veille à les garder près de lui où qu'il aille. En achetant la Villa Oleandra, à Laglio, au bord du lac de Côme, il fait ainsi tout pour recréer cette même ambiance riche en testostérone. Dans ce palais du XVIIIe siècle, il invite ses potes selon un planning soigneusement élaboré. *« C'est du boulot pour arriver à organiser un bon turn-over ! »* expliquait-il en avril 2008 dans le *New Yorker*. *« Je vais par exemple décider que jusqu'au 4 juillet, la maison sera réservée aux potes sans enfants. »* Le gage de vacances réussies…

De mèche avec Waldo

Parmi ces célibataires endurcis, une figure est incontournable : celle de Waldo Sanchez. Arrivé plus tardivement dans la bande, ce coiffeur est très vite devenu omniprésent auprès de l'acteur. Leur rencontre ? Un heureux destin, il y a plus de vingt ans.

Au milieu des années quatre-vingt-dix, George Clooney vient de faire ses premiers pas aux *Urgences*. À quelques mètres de là, sur un plateau voisin, le coiffeur travaille quant à lui sur le tournage de la série *Les Nouvelles Aventures de Superman*. Mais c'est l'un des derniers projets qu'il acceptera sans George. Après leur rencontre, par hasard, sur le parking du

---

1. Entretien accordé à *GQ*, octobre 1997.

studio, les deux hommes deviennent en effet indissociables. « *Waldo Sanchez est comme son alter ego*, explique la journaliste Nicola Graydon, qui a suivi Clooney plusieurs mois pour un reportage. *Beau, plaisant et accessible. Sur le tournage de Syriana, il était là en tant que coiffeur, mais on avait le sentiment qu'il tenait surtout à passer du temps avec lui*[1]. » Et l'intéressé – qui se fait extrêmement discret, presque insaisissable, avec les médias – de pudiquement confirmer : « *George est une personne rare et le succès ne l'a absolument pas changé*[2]. »

Difficile alors de comprendre l'absence d'un ami si proche au mariage de la star, le 27 septembre 2014, en Italie… alors même que la quasi-totalité du gang – Richard Kind, Thom Mathews, Grant Heslov, Benn Weiss par exemple – avait fait le déplacement. Faut-il l'attribuer à l'intransigeance d'Amal Alamuddin ? Mystère. En tout cas, un autre ami, lui, ne quittera pas l'acteur : son témoin Rande Gerber passe toute la noce à ses côtés. C'est de toute façon sa place auprès de George depuis une vingtaine d'années.

Partenaires particuliers

Si, au quotidien, George n'est pas collé à Brad Pitt, Matt Damon ou ses Boys, il l'est en revanche à Rande. Cet

---

1. Dans « My summer with George », publié sur son site en 2006.
2. *Ibid.*

homme d'affaires a fait fortune en ouvrant des bars d'hôtel aux États-Unis. Et depuis leur coup de foudre amical, il y a vingt ans, au Morgans, l'un de ses établissements new-yorkais, ils ne se lâchent pas. « *Il était venu tourner un film ici pendant deux mois, et il a fini par passer tout son temps au bar avec moi*, expliquait-il récemment. *Nous avons le même sens de l'humour et la même vision de la vie, que nous voulons savourer au maximum tant que nous sommes là*[1]. » Ce n'est d'ailleurs pas anodin si c'est à lui que George s'est adressé lorsqu'il s'est agi de refaire sa Casa de Clooney. Le tout, en lui laissant carte blanche, de la taille de la piscine à la couleur des rideaux, ou la photo de Steve McQueen encadrée dans le salon. Dans cette maison, les compagnes de George n'ont pas vraiment pu laisser leur empreinte. Mais la patte de Rande est en revanche omniprésente. Une harmonie que rien ne viendra troubler. Pas même le mariage de l'entrepreneur avec Cindy Crawford, en 1998. Le top model n'empêchera ainsi pas son homme d'acheter avec l'acteur une propriété à Cabo San Lucas, au Mexique. Sa seule demande : faire « toits séparés ». « *À la base, nous comptions n'y construire qu'une grande maison, mais George était célibataire à l'époque alors que nous avons une famille. Cindy a donc dit : "Mmm, ce n'est pas une super-idée. Construisons*

---

1. Entretien accordé à l'*Evening Standard*, le 18 mars 2015.

plutôt deux maisons." » L'intimité arrachée par la brune n'est cependant que très relative… « *Cela reste une seule et même propriété, où l'on peut prendre le petit déjeuner chez George, puis manger chez moi[1]* », explique, ravi, Rande Gerber. Au menu de ce havre commun, une vue sur la mer, deux piscines, deux bars, mais surtout une conception ouverte, avec deux cours centrales, où partager repas, soirées cocktails et sessions télé. « *Il n'y a rien de plus déprimant que d'avoir une grande et vieille maison juste pour soi[2]* », remarquait George Clooney dans les colonnes du magazine de déco *AD*.

Une maison du bonheur qui inspire au duo son autre « bébé » : la marque de tequila Casamigos (ou « maison des amis » en espagnol, du nom de leur havre mexicain). Ils la lancent en 2014 avec un troisième compère, le magnat de l'immobilier Mike Meldman. Mais cette création, ils l'ont mise au point tous les deux, au fil de deux ans, et de sept cents dégustations, comme ils se plaisent à le raconter. « *Un soir, alors que nous venions de fonder notre entreprise, nous avons fait la fête et bu une pleine bouteille de tequila*, relate Rande. *À Los Angeles, George vit à trente minutes de chez moi et dès que nous buvons trop, il dort dans notre maison d'amis.*

---

1. *Ibid.*
2. Entretien accordé à *Architectural Digest*, octobre 2013.

Mais cette fois, il n'est même pas arrivé jusque-là, et s'est effondré dans la maison principale. Dans mon lit, Cindy dormait avec les enfants, j'ai donc pris une autre chambre. À trois heures du matin, elle s'est réveillée et m'a trouvé à plat ventre et tout habillé sur le lit. Elle s'est approchée, et m'a caressé le dos. Je me suis retourné, sauf que ce n'était pas moi. C'était George! Ils ont crié tous les deux. Le lendemain, au petit déjeuner, George a eu l'idée d'en faire une pub, façon "Buvez une bouteille de Casamigos, et réveillez-vous avec Cindy Crawford[1]!"» Le spot verra bien le jour. «*C'était hilarant!*» se souvient aussi George Clooney. L'acteur n'hésite d'ailleurs pas à jouer les hommes-sandwichs pour leur marque, affublé de son éternel tee-shirt au soleil couchant, le logo de Casamigos.

Rande et George, George et Rande: le duo semble inséparable et fourmille de projets. Une proximité qui a souvent fait jaser, et a parfois dérangé les compagnes de la star. Mais entre les potes et les femmes de Mister Clooney, le match n'a jamais été équilibré: les potes, eux, sont là pour la vie.

---

1. Entretien accordé à l'*Evening Standard*, le 18 mars 2015.

V

L'AUTRE VIE DE GEORGE

> « *Je suis gay, gay. "Gay, gay, gay",*
> *c'est un peu trop.* »

> George Clooney

« *Il est clair que George Clooney est gay.* » Le 28 avril 2014, des millions de téléspectateurs n'en croient pas leurs oreilles. L'équipe de *The Five*, un talk-show extrêmement regardé de la chaîne conservatrice Fox News, commente les fiançailles de l'acteur avec Amal Alamuddin. Quand, au cœur de la séquence, le présentateur Eric Bolling lâche cette bombe. George Clooney, homosexuel ? La phrase fait évidemment jaser. Et l'animateur – qui est aussi commentateur politique – aura beau dire ensuite qu'il plaisantait, l'affaire fait grand bruit. D'autant que ce n'est pas la première fois que l'acteur de *Gravity* se voit attribuer cette étiquette. Articles de tabloïds, billets de blogs, mais aussi *blind items* (ces devinettes people qui donnent des informations sur les stars sans les nommer) : depuis des années, on lui prête régulièrement une double vie. Il suffit d'ailleurs de taper les mots « George Clooney gay » dans un moteur de recherche pour s'en convaincre. La rumeur dévoile son ampleur, avec jusqu'à six millions de résultats. Soit plus de dix fois plus d'occurrences que lorsque l'on fait la même recherche pour des stars hétérosexuelles d'une notoriété comparable, comme Johnny Depp ou Pierce Brosnan !

Un phénomène d'autant plus surprenant qu'il s'est toujours affiché avec de jolies femmes à son bras, et s'est déjà marié deux fois. Si certains pensaient que son union avec l'avocate ferait taire les suppositions, il n'en sera rien ! Le 9 novembre 2015, un an après leurs noces, George et Amal étaient paraît-il au bord du divorce, selon le *National Enquirer*. Le motif ? « *Des photos gays susceptibles de détruire leur mariage* », annonçait la couverture du journal people ! Il s'agit en fait de clichés de l'acteur avec son partenaire d'*Urgences*, Noah Wyle, qui l'embrasse sur la joue. Rien de très compromettant, donc, surtout que la scène a eu lieu sur le tapis rouge d'une avant-première vingt ans plus tôt. Mais l'article ne se prive pas d'évoquer un « *passé risqué et caché* ». « *Au-delà de leur apparente innocence, ces images vont relancer toutes les rumeurs qui hantent George depuis les années où il était célibataire* », avance une source dans l'hebdomadaire.

Certes, le *National Enquirer* n'a pas bonne réputation. Mais derrière ses titres outranciers, il a souvent révélé de vrais scoops, comme la transformation de Bruce Jenner ou la séropositivité de Charlie Sheen. La double vie supposée de George est également un sujet qui mobilise régulièrement sa rédaction. Une question qui est arrivée jusqu'en France. Dans le numéro de *Lui* daté de janvier 2016, on pouvait ainsi lire : « *George Clooney est en couple non pas avec Amal, son paravent libanais, mais avec son secrétaire italien.* »

De quoi se demander où ces théories ont pris leur source, et pourquoi elles persistent alors que l'acteur a toujours arpenté les tapis rouges en galante compagnie. Plus fort encore : si la presse a parfois douté de son hétérosexualité, ses amis eux-mêmes semblent s'interroger.

George et les *gays* lurons

Mars 2008, le magazine *Esquire* consacre un portrait à George Clooney qui va être repris par tous les médias. Le principe de l'entretien ? L'acteur doit réagir à ce qui se dit de lui sur Internet. Au menu, des questions sur son enfance, sa carrière, mais aussi à propos de sa sexualité. Le journaliste A. J. Jacobs lui montre en effet un article le qualifiant de « *GAY GAY GAY [sic]* ». « *Non,* lui oppose la star. *Je suis gay, gay. Mais le troisième gay, c'est un peu trop...* » La réponse est volontairement badine et c'est le ton que l'acteur veillera toujours à adopter sur le sujet.

Il y est d'ailleurs grandement aidé par sa bande d'*Ocean's Eleven*, qui ne manque jamais d'aborder la question. « *George est gay. Tout le monde le sait* », lance Matt Damon en juillet 2007. Là encore, la citation fait le tour du web, mais le principal intéressé réplique vite. « *Quitte à me retrouver à quatre pattes avec des mecs, je n'aurais pu rêver mieux qu'eux* [Matt Damon et Brad Pitt] », dit Clooney, un jour que les trois acteurs posent les empreintes de leurs mains devant le célèbre Grauman's Chinese Theater de Hollywood. Enfin, si cela ne suffisait pas, il enfonce le clou quelques jours plus tard, auprès d'*Entertainment Weekly*. « *J'ai rencontré Brad Pitt dans des bains publics*, lâche-t-il. *Vous ne m'auriez pas reconnu avec mon masque de cuir sur le visage.* »

Les blagues sur la sexualité de George ? Le trio s'en est fait une spécialité. Or deux ans plus tard, la plaisanterie a des conséquences. En septembre 2009, toute la bande est en effet à la Mostra de Venise. Chacun est venu présenter un film au festival, mais la vie privée de George va rapidement devenir le vrai sujet de conversation. « *Angie et moi ne nous marierons pas tant que George et son compagnon ne pourront pas le faire légalement, eux aussi* », explique Brad Pitt à différents journalistes. « *Oui, bien sûr qu'il a un mec !* renchérit Matt Damon. *Nous le connaissons tous depuis des années, nous l'adorons ! J'espère qu'ils vont se marier.* » L'histoire fait le tour du web, comme George Clooney va très vite s'en apercevoir. Le lendemain, il donne une conférence de presse pour la sortie des *Chèvres du Pentagone*. Quand soudain, un journaliste italien s'empare du micro. « *Je suis gay, George ! Je suis amoureux de vous. Pitié, choisissez-moi ! Puis-je vous embrasser ? Juste un baiser !* » hurle-t-il. Le tout, en faisant un strip-tease à l'intention de l'acteur, visiblement gêné, et devant une salle médusée.

Amis, et bien plus encore

C'est sûr, Brad Pitt et Matt Damon adorent parler de la sexualité de George. Pourtant, dans la presse, d'autres amitiés posent question. À commencer par sa proximité avec Rande Gerber. En dépit du mariage de celui-ci à Cindy Crawford, la relation des deux patrons de Casamigos est scrutée de près, à cause de l'importance qu'elle a revêtue dès leur rencontre. « *Nous aimions juste être l'un avec l'autre* », se souvenait Rande en septembre 2015 dans le *Times*. Une révélation qui ne s'est pas démentie depuis, avec l'instauration de petits rituels à deux. « *George a eu l'idée que nous partions deux semaines à moto chaque année, à l'aventure, et nous le faisons depuis quinze ans,* a-t-il aussi raconté au site *Outside Go. Il décide des points de départ et d'arrivée. Entre les deux, tout peut arriver.* » Looks coordonnés et casques assortis, ils ne sont nullement lassés de leurs grandes chevauchées, l'entrepreneur souhaitant même qu'elles aient lieu « *jusqu'à la fin des temps* ». Tout un programme…

Parmi ses amitiés masculines, se trouve également dans le viseur des blogueurs et de certains journalistes sa relation vieille de vingt ans avec Waldo Sanchez. « *La présence continuelle de ce beau et charmant coiffeur à ses côtés fait parler* », expliquait la journaliste Alison Boshoff dans le *Daily Mail* dès 2007. *Urgences*, *Un beau jour*, *Batman et Robin*, *Le Pacificateur*, *O'Brother*, *Ocean's Eleven*, *Twelve* et *Thirteen*, *Solaris*, *Syriana*, *Michael Clayton*, *Les Marches du pouvoir*, *The Descendants*, *Gravity*, *À la poursuite de demain*… Depuis leur rencontre, il suit George Clooney dans toutes ses activités, en tant que coiffeur personnel ou de plateau. Et il affiche pas moins de vingt-cinq collaborations à ses côtés ! « *Il se chuchote néanmoins qu'il ne s'occuperait pas que de ses cheveux* », commentait un article du *Gala* allemand, paru en août 2011. Mais pour le reste, on sait bien peu de choses de cette figure clé. Car Waldo « *l'alter ego* » est d'une extrême discrétion. Tout juste apprend-on des bribes sur sa vie de la bouche de l'un de ses anciens employeurs. « *Il est resté quelques années chez nous*, explique William Ferrazz, patron d'un salon de coiffure à Hoboken, dans le New Jersey. *C'est un garçon très gentil.* […] *Très beau aussi, il fait tourner des têtes.* […] *Un jour, il a déménagé à Los Angeles : il avait envie de changement*[1]. » Après sa rencontre avec la star, il ne reviendra plus dans sa ville d'Union City que pour voir sa famille. *« Sinon, il suit George Clooney sur ses films »*, conclut son ex-patron. Dans les longs portraits écrits sur l'acteur, on le trouve souvent là, en filigrane. Complétant les phrases de George comme un vrai compagnon de route.

De maigres détails dont il faut malheureusement se contenter. En dehors de son CV sur les sites cinématographiques, le coiffeur n'a en effet aucune existence virtuelle. Pas de profil Facebook public, de comptes Twitter ou Instagram connus… Son nom n'apparaît que dans les commentaires sous les articles consacrés à George Clooney, où il est constamment présenté comme son *« petit ami »*. Une carence d'informations très étonnante, ainsi que le sera son absence aux noces de la star avec Amal. Mais il faut dire qu'à en croire certains journalistes, l'avocate ne serait pas fan du pro des ciseaux. *« L'omniprésence de ce beau coiffeur, qui accompagne souvent George lors de ses voyages, pèse sur leur mariage »*, avançait Steve Herz en novembre 2015, dans le *National Enquirer*. Inimitié réelle ou pas, c'est en tout cas Achille Taroni, le barbier de George dans son fief italien de Laglio, qui, en septembre 2014, s'occupera de ses cheveux pour le jour J. Une auguste clientèle dont ce dernier n'est pas

---

1. Entretien accordé à *Hoboken Now*, octobre 2007.

peu fier. À quelques mètres de la Villa Oleandra, les photos de l'acteur en pleine coupe tapissent les murs de sa toute petite échoppe, où nous nous sommes rendues. *« Je le connais depuis des années*, nous a confié, tout sourire, le barbier aux cinquante ans de métier. *Un jour, le gardien de sa maison me téléphone pour savoir si j'étais libre pour une coupe à domicile. Depuis, je le coiffe quand il vient ici. C'est vraiment quelqu'un de sympathique*[1]*.»* Mais aussi de généreux : pour trois minutes à lui rafraîchir la nuque, George aurait l'habitude de lui donner cent euros.

La dolce vita…

Un avis positif que partagent nombre des neuf cent cinquante-sept habitants de Laglio. En 2001, la star y a acheté sa propriété de vingt-cinq pièces à la famille Heinz, les rois du ketchup. Le prix ? Environ dix millions d'euros. *«À la base, c'était un pur investissement*, expliquait-il lors d'une conférence de presse. *J'ai pensé que j'y passerais peut-être quelques semaines de vacances.»* Pendant longtemps, il s'y installera en fait plusieurs mois par an, s'intégrant parfaitement à cette commune dont le maire le fera même citoyen d'honneur ! *« Tout le monde l'a déjà vu passer à vélo, souriant, poli*, nous confie Giorgio, l'un de ses voisins. *Un*

---

1. Entretien avec les auteurs, le 22 janvier 2016.

jour, ma mère, qui a soixante-dix-sept ans, et ses amies apportaient de lourds sacs de riz à l'église pour une collecte. En les apercevant, George est descendu de vélo, les a aidées. Puis il les a invitées à prendre un verre dans un bar à côté[1] *!»* Pas question pour George de jouer les stars. Son attitude «*low profile*» lui garantira quelques moments d'anonymat, comme dans ce café du village dont la patronne, quatre-vingts ans bien sonnés, et qui ne l'avait pas reconnu, avait rechigné à le servir ! «*C'est quelqu'un de très simple*, confirme un entrepreneur qui a fait des travaux dans sa villa. *Quand vous arrivez chez lui à l'heure du déjeuner, il est souvent dans la cuisine, en train de faire des pâtes fraîches*[2].» Ici comme ailleurs, l'acteur n'est pas assisté d'un chef et d'une nuée d'assistants. Il est en revanche toujours escorté par Giovanni, son fidèle garde du corps italien qui le protège aussi aux États-Unis. Et du Portugais Antonio, qui entretient sa maison de Laglio à l'année. Le gardien et sa femme y travaillaient du temps des anciens propriétaires. L'acteur les a gardés et ils sont devenus amis, George étant même le parrain de leur fils Felipe. Aujourd'hui, la famille occupe l'une des deux belles dépendances de la propriété, l'autre étant réservée aux amis de passage.

---

1. Entretien avec les auteurs, le 23 janvier 2016.
2. Entretien avec les auteurs, le 22 janvier 2016.

Une situation que beaucoup pourraient envier : la Villa Oleandra est un somptueux palais, idéalement placé. « *Il s'agit de la meilleure portion du lac, entre Côme et Laglio*, nous explique le directeur commercial de l'antenne locale de Sotheby's. *Elle est très recherchée*[1]. » Au nombre de ses atouts, la beauté du paysage, le calme de la région, et une difficulté d'accès parfaite pour les stars du coin, libérées de quelques paparazzis. Sans oublier bien sûr une proximité avec la Suisse qui a pu séduire certains acheteurs, attirés par la fiscalité locale. « *Si George Clooney vendait, comme il songerait à le faire, ça n'aurait pas une incidence énorme sur le prix du marché* », reprend l'expert en immobilier de luxe. Tout en nuançant plus tard son propos : « *Mais il est certain que sa présence a parfois joué. J'ai ainsi vendu une maison de sept millions d'euros à un client dont l'épouse aimait l'idée d'être proche de lui !* » De la même façon, une petite maison en face de chez lui a vu son prix multiplié par cinq. « *Avant son arrivée, elle était en vente à 50 000 euros et personne n'en voulait. Elle est finalement partie à 250 000 euros !* » nous explique une wedding planneuse de la ville voisine de Cernobbio[2]. Plus globalement, le mètre carré est passé de 2 000 à 5 000 euros depuis son installation, selon le maire

---

1. Entretien avec les auteurs, le 23 janvier 2016.
2. *Idem.*

Roberto Pozzi. À croire que l'acteur est presque à l'origine d'un boom immobilier, et qu'il a un vrai poids économique pour la région.

En quinze ans, George est en tout cas devenu une attraction touristique. « *Il a mis un coup de projecteur sur Laglio qui était inconnu jusque-là. Des hommes sont souvent entrés dans mon établissement en demandant : "Où est sa maison ? C'est pour ma femme[1]"* », s'amuse le propriétaire d'un hôtel situé tout près de sa villa. Le magazine *Vanity Fair Italie* surferait d'ailleurs sur cet engouement, envoyant chaque année une journaliste sur place, pour rédiger un long dossier sur la vie de George en Lombardie. Mais l'acteur affole aussi les habitants de sa bourgade, comme une anecdote le révélait il y a quelques années. « *Un jour, sur le tableau à l'entrée de l'église, le prêtre avait laissé un mot disant : "À la messe le week-end prochain, il y aura quelqu'un qui vous aime : GC." Le dimanche suivant, toutes les dames de la paroisse sont arrivées sur leur trente et un, pensant que derrière GC, se cachait George Clooney. Sauf que l'invité prévu était en fait Gesù Cristo, Jésus-Christ.* » L'acteur n'aura pas joué cette fois les sauveurs, mais il reste une idole pour sa ville d'adoption !

---

1. Entretien avec les auteurs, le 22 janvier 2016.

Une forteresse pour préserver son intimité

Les habitants des lieux font tout pour que leur hôte se sente comme chez lui, commandant par exemple la presse américaine pendant ses séjours. Certes, beaucoup ont protesté lorsque l'acteur a voulu acheter la portion de plage située devant sa maison. Il s'est finalement contenté de la nettoyer. Mais ils ont vite pris le parti de préserver pour lui une intimité impossible à trouver à Los Angeles. « *Le lac de Côme est un lieu tranquille et difficile d'accès, avec ses routes escarpées*, nous rappelle l'expert de chez Sotheby's. *C'est sans nul doute ce qui l'a séduit ici*[1]. » Un besoin que les Lagliesi défendent ardemment, malgré certains paradoxes. Si les commerçants locaux sont ravis de l'argent dépensé chaque été par les paparazzis, ils ne leur livrent que peu de scoops. Quant aux loueurs de bateaux, qui bénéficient de la vue sur sa maison depuis le lac, ils admettent tous que la star ait fait planter des arbres tout autour de sa terrasse, pour limiter l'envoi de lettres ou de culottes dans son jardin.

Une mission de protection que certains prennent encore beaucoup plus au sérieux. Dans le village voisin de Carate Urio, Giuseppe Fioroni, propriétaire d'un hôtel-restaurant, considère désormais la star comme un ami. De quoi le mettre un peu sur la défensive avec les journalistes. « *Tout*

---

1. Entretien avec les auteurs, le 23 janvier 2016.

ce que je sais, je ne vous le dirai pas ! » nous a-t-il prévenues d'emblée lorsque nous sommes allées l'interroger. Les petits secrets de George sont ici bien gardés. D'ailleurs, quand il vient dîner dans son établissement, Giuseppe prend les devants pour qu'il se sente totalement à l'aise. « *Je privatise les lieux, pour ne pas le troubler*[1]. » Les clients qui dorment dans son auberge devront manger ailleurs ! Mais en cherchant un autre restaurant, qu'ils ne s'avisent pas de passer trop lentement devant la maison de l'acteur, à quelques centaines de mètres de là. En 2009, le maire Roberto Pozzi a en effet prononcé un arrêté municipal interdisant aux groupes de plus de deux personnes de se promener devant la propriété, qui est facile d'accès. Depuis la rue, on voit même les statues d'enfants qui accueillent les visiteurs... « *Ces interdictions ont été rendues nécessaires par quelques épisodes déplaisants*, expliquera-t-il au *Corriere della Sera*. *Des personnes s'arrêtaient par exemple sous ses fenêtres pour hurler son nom !* » Dans la petite commune, tout est donc fait pour que la star puisse vivre en liberté.

Doté de telles assurances, George n'a jamais hésité à amener Hollywood à Laglio. Peu après son installation, il y tournait certaines scènes d'*Ocean's Twelve*, sorti en 2004. Le cadre, très cinématographique, a souvent servi de lieu de

---

1. Entretien avec les auteurs, le 22 janvier 2016.

tournage, pour *Casino Royale* ou pour *Star Wars, épisode II : L'Attaque des clones* notamment. L'intérêt réside aussi dans la tranquillité de l'endroit. Chaque été, George y invite d'ailleurs ses amis people. Ici, tout ce petit monde a ses habitudes, entre balades à vélo et à moto, ainsi que ses QG : le restaurant Il Gatto Nero, institution de Cernobbio, où l'acteur mange à « sa » table réservée devant une grande verrière ; le Harry's Bar juste à côté ; l'auberge Fioroni que nous avons évoquée ; le Golf Club de Menaggio dont l'acteur a été membre ; la somptueuse Villa d'Este, palace couru des people… Mais le lieu privilégié de leurs soirées privées reste bien sûr l'Oleandra. Car dans cette maison, la discrétion est garantie. D'autant qu'elle bénéficie d'un atout de poids : les invités peuvent venir par le lac. Un chemin emprunté aussi par George lorsqu'il arrive dans la région. Et pour préserver plus encore son territoire et son intimité, il aurait même parfois jeté, depuis sa terrasse, des œufs sur les paparazzis qui s'approchaient en bateau. Du coup, que la star reçoive Matt Damon et Brad Pitt, Julia Roberts, Robert De Niro ou encore John Krasinski et Emily Blunt juste avant leur mariage en Italie, aucune photo ne fuite.

Des soirées de légende

À l'abri des regards indiscrets, George donne des fêtes mémorables, qui se terminent invariablement par un bain de minuit, dans le lac de Côme. « *Tout le monde parle ici de ces soirées*, nous confirme un voisin. *Il y invite souvent des amis de Milan*[1]. » Une expérience vécue il y a quelques années par David Gergen, professeur à Harvard, et ancien conseiller à la Maison-Blanche. Venu passer deux jours chez George, à Laglio, il en revient avec des anecdotes, qu'il a retranscrites dans le magazine *Parade* en septembre 2011. Telle cette soirée très arrosée, passée à la belle étoile... « *Vers deux heures du matin, j'étais saoul, comme les autres invités*, écrit-il. *Tout à coup, Clooney a sauté de sa chaise et il s'est mis à escalader la grille face au lac. Puis il s'est jeté dans l'eau, comme pour challenger notre masculinité : ok, les gars, voyons si vous en avez dans le pantalon. [...] Je me suis mis en sous-vêtements, ai escaladé la barrière et je me suis jeté à l'eau. [...] Un peu plus tard, nous sommes allés ouvrir une bouteille de limoncello dans la cuisine et la conversation s'est poursuivie jusqu'à ce que je me couche à quatre heures trente. Quand je suis parti quelques heures plus tard vers l'aéroport, un seul des autres mecs était debout.* » Des vacances chez George Clooney, on s'en souvient longtemps ! « *Se baigner nu est une tradition quand on vient chez moi*[2] », s'amusait d'ailleurs la star un mois plus tard, dans *Us Weekly*.

---

1. *Idem.*
2. Entretien accordé à *Us Weekly*, octobre 2011.

De quoi libérer la parole de certains. Liaison avec un mannequin italien, histoire avec un psychologue de Florence… les bruits courent sur la supposée double vie de George Clooney. Sur place – où les gens que nous avons rencontrés ont souvent abordé le sujet spontanément – comme sur Internet, où certains ont rebaptisé le lac de Côme « Lake Homo ». En 2008, ces allégations s'invitaient même sur le blog de Ian Halperin, connu pour ses biographies non autorisées de Kurt Cobain, Michael Jackson, Brad Pitt et Angelina Jolie, ou encore Arnold Schwarzenegger. Le 27 octobre, il rapportait en effet sa conversation avec un mannequin italien, affirmant que George aurait une aventure avec un collègue milanais de vingt-deux ans. « *George Clooney est gay*, lançait la source au journaliste d'investigation. *Je l'ai vu dans des boîtes avec ce jeune homme en train de passer de bons moments. Il est à voile et à vapeur. Aux États-Unis, personne n'en sait rien mais en Italie, il est connu que George aime les hommes.* » En août 2011, un article du *Gala* allemand abondait dans le même sens : « *En Italie, on dit qu'il aime beaucoup les mannequins Armani, à condition qu'il s'agisse de modèles masculins* », lisait-on. Des assertions que rien ne vient prouver. C'est d'ailleurs également le cas pour les autres aventures masculines qu'on lui prête. Pas de photos, des témoignages anonymes… Pourtant, le doute persiste malgré l'image d'homme à femmes qu'il s'est méthodiquement construite. Et le scepticisme s'explique aussi par les nombreux précédents qui ont marqué l'histoire de Hollywood.

Un tabou hollywoodien

Dans les années vingt, naquirent de fausses romances, visant à cacher l'homosexualité d'une célébrité. Leur nom de code : les « mariages lavande », ou « *tandems twilight* ». Le phénomène connaîtra son apogée pendant les années cinquante. « *Le* "bearding[1]" *a alors vraiment pris de l'ampleur*, explique le journaliste David Plotz, sur le site *Slate. Les studios voulaient empêcher les journalistes people de diffuser des rumeurs à propos de leurs stars.* » Parmi elles, l'étoile du moment, à qui George Clooney a souvent été comparé : le ténébreux Rock Hudson. Des rôles de cow-boy à ceux de shérif, il incarne le mâle viril à l'américaine. Un statut que lui confèrent aussi les hordes de fans pendues à ses basques où qu'il aille. Mais ses jeunes groupies ignorent qu'il est homosexuel. L'acteur a, c'est vrai, payé de sa personne pour le cacher. Cours de diction pour avoir une voix plus grave ; relooking tendance « macho » ; et surtout mariage, en 1955, à Phyllis Gates, la secrétaire de son agent.

---

1. Le « *bearding* » est le fait de s'afficher avec une personne du sexe opposé pour cacher son homosexualité.

Cette union répondait en fait à une crise : quelques semaines plus tôt, le magazine à scandales *Confidential* l'avait menacé de tout dire de son orientation sexuelle. La révélation sera évitée de justesse – l'agent de l'acteur « outant » auprès du journal deux de ses clients moins importants. Mais Rock Hudson et ses équipes sont alors convaincus de la nécessité de se camoufler. Phyllis Gates, qui est lesbienne, jouera le rôle à la perfection. Elle ne livrera rien de la double vie de l'acteur de *Confidences sur l'oreiller*, et cela même après leur divorce en 1958. La vérité sort pourtant dans les pages de *People* en août 1985, quelques semaines avant qu'il ne décède du sida.

L'exemple le plus marquant d'une longue liste de célébrités qui feront tout pour que leur sexualité ne soit pas révélée, de peur d'être placardisées. L'acteur William Haines, la star du muet Ramón Novarro, Tab Hunter, Cary Grant, Anthony Perkins, Montgomery Clift, voire même James Dean, Marlon Brando ou Paul Newman, qui aurait vécu une histoire avec Steve McQueen, selon une biographie consacrée à ce dernier. Les noms évoqués sont nombreux. Parmi eux, beaucoup feront appel à des femmes pour jouer le rôle de compagnes sur les tapis rouges. En 1984, Elton John lui-même épousait Renate Blauel, une ingénieur du son allemande qui travaillait avec lui. En 2011, sur le plateau du *Joy Behar Show*, l'iconique actrice Betty White admettait de même avoir rempli cette fonction aux côtés de son ami Liberace. Toute sa vie, jusqu'à ce que le sida ne l'emporte en 1987, le flamboyant pianiste a nié son homosexualité, allant jusqu'à jurer sous serment, dans un procès l'opposant au *Daily Mirror* qui avait évoqué le sujet. C'était en 1957, une époque lointaine... Toutefois, le concept de « *beard* » semble encore largement admis à Hollywood. La preuve : la pop culture l'a parfois exploré. En 2006, la série *Joey* (le spin-off de *Friends*) en donnait ainsi un bon aperçu. Dans l'épisode « Joey and the beard », l'agent du personnage interprété par Matt LeBlanc lui demande de sortir avec une actrice lesbienne. Celle-ci est à l'affiche d'une comédie romantique et, dans le cadre de sa promotion, elle doit être vue avec un homme au restaurant, à des matchs de baseball ou des remises de prix. « *Je dois maintenir une certaine image* », explique-t-elle. Évoqué dans une série aussi grand public, le phénomène est donc à l'évidence largement en vigueur à Hollywood ! Dans la presse, il est même fréquemment associé au mariage de Will Smith et Jada Pinkett. Mais le nom le plus souvent cité sur le sujet est bien sûr celui de John Travolta. Après les plaintes déposées à son encontre par deux masseurs, et les révélations de son ancien pilote d'avion, le couple constitué par l'acteur et Kelly Preston s'est trouvé sous le feu des projecteurs. Pour beaucoup, son mariage avec l'ex de George Clooney ferait figure de couverture. Dans son enquête sur la scientologie, le journaliste Lawrence Wright révélait d'ailleurs que dans les années quatre-vingt, John Travolta aurait menacé les dirigeants de ce mouvement d'officialiser sa relation avec un homme, avant de se raviser par peur du scandale !

Des stratagèmes que l'on penserait révolus depuis certains coming-out, comme celui de Jodie Foster, en 2013, aux Golden Globes. « *J'ai une déclaration à faire qui me rend nerveuse… Mais pas autant que mon attachée de presse* », prévenait-elle. De même, la révélation d'Ellen Page, en février 2014, a été acclamée dans le monde entier. « *En tant qu'actrice, je représente d'une certaine façon une industrie qui nous impose des standards dévastateurs,* déclarait-elle lors d'une conférence LGBT de l'ONG Human Rights Campaign. *Je suis gay. Je suis fatiguée de me cacher et je suis fatiguée de mentir par omission.* » Avec de tels modèles, l'homosexualité ne semblait plus taboue aux États-Unis. Et l'actuel succès de l'animatrice Ellen DeGeneres paraissait montrer qu'une page s'était tournée depuis 1998. Sa sitcom avait alors été annulée, peu après son coming-out en une du *Time.* Oui, mais voilà… les deux Ellen ne sont pas représentatives du Tout-Hollywood. « *Il est loin d'être certain que des premiers rôles masculins puissent garder l'image de sex-symbols en se revendiquant gays*[1] », explique la journaliste américaine Jeannette Walls. Un peu comme un rappeur, un acteur de films d'action se doit d'avoir à la ville tous les attributs de son personnage, à commencer par une jolie femme à son bras musclé ! L'important est de conserver un large public, en incarnant à la fois un modèle pour les hommes, et un fantasme pour les femmes. Soit une page blanche sur laquelle chacun puisse projeter ses envies. «*Moins les gens en savent de vous, meilleur acteur vous êtes,* analysait même Matt Damon dans le *Guardian*, en septembre 2015. *Que vous soyez hétéro ou gay, les gens ne devraient pas le savoir parce que c'est l'un des mystères sur lesquels vous devriez pouvoir jouer.* »

D'incroyables intérêts économiques

Alors c'est vrai, différents comédiens masculins ont fait leur coming-out. On peut citer Neil Patrick Harris, que son mariage avec son compagnon n'a pas empêché de jouer le tombeur de ces dames dans *How I Met Your Mother*. Et encore Wentworth Miller de *Prison Break*, Matthew Bomer de *FBI : duo très spécial*, Jesse Tyler Ferguson de *Modern*

1. Entretien accordé à *Slate*, juillet 2003.

Family, Jim Parsons de *The Big Bang Theory*, Matt Dallas de *Kyle XY* et Charlie Carver de *Desperate Housewives*.

Mais ces acteurs partagent deux points communs : ils sont jeunes, et ils officient principalement à la télévision. Car l'industrie cinématographique reste, elle, craintive quant à l'homosexualité. En janvier 2013, Steven Soderbergh racontait au site *The Wrap* l'avoir appris à ses dépens. En pleine promo pour *Ma vie avec Liberace*, diffusé sur la chaîne HBO, il admettait n'avoir pas réussi à vendre l'idée à des producteurs de cinéma. Et ce, malgré un casting de rêve, entre Michael Douglas dans le rôle du pianiste et Matt Damon dans celui de son amant ! « *Nous l'avons proposé à tout le monde mais personne n'a voulu le faire*, expliquait le réalisateur, ex-associé de George Clooney dans la société de production Section Eight. *Tout le monde m'a dit que c'était trop gay. Pourtant, c'était après* Brokeback Mountain *! Je n'en revenais pas. Les studios nous ont dit ne pas savoir comment le vendre. Ils avaient peur.* »

Un comble à Hollywood, considéré comme une terre de tolérance ! Mais au-delà du puritanisme américain, les producteurs anticipent sur les ventes à l'étranger, où les blockbusters font plus d'entrées qu'aux États-Unis. Un marché qui représente 50 à 60 % des recettes, tous pays confondus. Or parmi les destinataires majeurs de cette exploitation internationale, on retrouve la Chine, la Russie et le Moyen-Orient – des régions où l'homosexualité n'est pas franchement bien acceptée ! Difficile alors de prendre le risque que son film soit boudé, voire boycotté. *« Lorsque l'on sait que de grosses machines comme* Mad Max *ou* Jurassic World *coûtent cent cinquante millions à fabriquer, il faut qu'elles plaisent au plus grand nombre,* nous explique un producteur français*[1]. Au-delà du film lui-même, la promo doit être elle aussi fédératrice. »* Résultat : ces intérêts économiques interfèrent alors avec des questions d'ordre privé. *« Cela existe aussi en France, mais les enjeux sont évidemment démultipliés aux États-Unis. »*

En janvier 2013, sur le plateau de l'émission de la BBC *Hard Talk*, Rupert Everett expliquait ainsi ces contraintes : *« Ce qui est frustrant, c'est que dans le climat actuel, les acteurs hétéros ont l'opportunité de jouer des hommes gays. Ils remportent même des prix pour ça. Mais le contraire ne marche pas. »* Il est exact que si des comédiens comme Tom Hanks, Sean Penn ou Jim Carrey ont décroché des rôles de composition dans *Philadelphia*, *Harvey Milk* et *I Love You Phillip Morris*, la réciproque n'est pas vraie. Dans la suite de l'interview, Rupert Everett ira plus loin encore, en déconseillant aux jeunes comédiens de faire leur coming-out. *« Pour obtenir des rôles de premier plan, il vaut mieux éviter. Surtout*

---

1. Entretien avec les auteurs, le 10 mars 2016.

qu'aujourd'hui, la situation a empiré. Les acteurs sont devenus leur propre marque. Des lignes de parfums ou de soins – et donc des investisseurs – entrent en ligne de compte. Les acteurs grand public doivent devenir de plus en plus hétéros ! » Une pression des producteurs, des agents et des publicitaires qui pousse alors certaines stars de Hollywood à cultiver une image de *macho man*. Quitte à travestir leur propre vie, pour plaire au plus grand nombre, et ne surtout pas limiter l'usine à rêves. « *Je connais des tonnes de stars qui restent dans le placard*[1] », explique l'acteur et chanteur Lance Bass. Une situation qu'il a bien connue, lui qui a choisi de faire son coming-out seulement après la séparation du boys band 'N Sync, dont il faisait partie. « *Je ne l'avais dit à personne. […] Du coup, tant que j'étais dans le groupe, je n'ai pas eu une seule relation.* »

Démentir, est-ce mentir ?

La situation est-elle aussi répandue à Hollywood que Lance Bass le dit ? « *Des tonnes de stars* » se tiennent-elles chaud dans un placard VIP ? Les sites et magazines people américains semblent le penser, à en croire le nombre de people qui ont été dits gays. Des rumeurs que beaucoup ont veillé à démentir. L'*Avenger* Jeremy Renner, les stars de

---

1. Sur le plateau de l'émission *Bethenny*, le 19 septembre 2013.

Gossip Girl Chace Crawford et Ed Westwick, l'animateur Ryan Seacrest, Taylor Lautner, Matthew McConaughey, Daniel Radcliffe… Vrai ou faux, tous ont affirmé aux médias être hétérosexuels. En juin 2013, Hugh Jackman allait même le dire avec sa femme sur le plateau de l'émission *60 Minutes*. « *Si je l'étais, je l'assumerais !* » lançait-il, au terme d'une longue interview main dans la main. Mais n'attendez pas ce type d'opération communication de la part de George ! Tout juste son ami Manuele Malenotti, propriétaire de la marque Belstaff, a-t-il démenti en 2011. « *Je peux vous dire que George n'est pas gay*[1] », affirme-t-il. L'année suivante, Adelia Clooney abonde dans son sens dans le *New York Daily News* : « *C'est assez ridicule. Nous n'écoutons même plus lorsque les gens disent ce genre de choses*[2]. » Mais la grande sœur de la star – qui vit toujours à Aurora – n'est de toute façon pas collée à George, elle qui n'a même pas son numéro. « *Je ne voudrais pas qu'il soit dans mon portable, au cas où je le perde !* » On n'est jamais trop prudent.

En revanche, George refuse de son côté de jouer la communication de crise. « *Vous ne me verrez jamais m'agiter dans tous les sens et dire : "Ce sont des mensonges !"*

---

1. Entretien accordé au *Daily Mail*, juillet 2011.
2. Entretien accordé au *New York Daily News*, novembre 2012.

annonçait-il en février 2012, dans le magazine *The Advocate*. *Ce serait injuste et indélicat envers mes bons amis de la communauté gay. Je ne laisserai personne m'amener à prétendre que l'homosexualité est une mauvaise chose. […] Qui est-ce que cela dérange si quelqu'un me croit gay ? Je serai mort depuis longtemps que les gens continueront de dire que je l'étais.* »

Néanmoins, ce stoïcisme a sans doute une autre raison, beaucoup plus politique. Car George est un fervent défenseur du mariage gay. « *Cela ne remet pas en cause le caractère sacré de l'union entre un homme et une femme. Cela ne revient pas à isoler un groupe auquel l'on donnerait des droits spéciaux. Il s'agit de donner les mêmes droits à tout le monde.* » En septembre 2011, il participait d'ailleurs à *8*, une pièce de théâtre en faveur du mariage pour tous aux États-Unis. Un démenti trop abrupt sur sa sexualité pourrait donc affaiblir son plaidoyer. Or, on le sait bien désormais : la vie privée de George Clooney doit être au service de ses combats publics.

VI

DES FILMS ENGAGÉS

« Tais-toi ! Mohamed Ali est allé en prison parce qu'il a osé
protester contre la guerre au Vietnam,
et toi, tu t'inquiètes de gagner un peu moins d'argent ?
Grandis ! Sois un homme ! »

Nick Clooney

Au démarrage de sa carrière télévisuelle et cinématographique, George Clooney a rapidement compris qu'il avait une carte à jouer en exploitant son charme et son sourire enjôleur. Très vite, il s'est positionné sur le créneau convoité du play-boy de Hollywood. Sa mission : faire craquer les femmes et devenir un modèle de virilité pour les hommes. Seulement voilà, l'acteur a de plus grandes ambitions que le cabotinage face caméra. Il nourrit à la fois l'envie viscérale d'exprimer sa vision du monde, et celle de faire la fierté de son père Nick. Mais il devra d'abord transformer son image.

Avant de briller au cinéma, George a enchaîné quelques flops au box-office entre 1996 et 1997. Ainsi, *Une nuit en enfer*, réalisé par Robert Rodriguez, a certes conquis la faveur des critiques, mais pas celle du public. Le budget de dix-neuf millions de dollars sera tout juste rentabilisé aux États-Unis, après plusieurs mois d'exploitation. En outre, les spectateurs reprocheront au film la violence gratuite du personnage incarné par George Clooney. Ils ont du mal à le voir tuer des gens de sang-froid, lui qui les secourt d'habitude à l'écran. Ce changement a d'ailleurs été compliqué à intégrer pour l'acteur, comme il l'expliquait lui-même. « *C'était vraiment troublant pour moi sur le tournage. Quand je tirais sur quelqu'un, j'avais immédiatement envie de me jeter sur lui pour le soigner et lui sauver la vie*[1] *!* » La série *Urgences* a eu une incroyable emprise sur son jeu et sur l'image qu'il renvoie au public, et il connaîtra de ce fait des difficultés à se détacher du rôle qui l'a fait connaître. À Hollywood, une fois collées, les étiquettes sont difficiles à retirer.

Après d'autres échecs commerciaux tels *Un beau jour* de Michael Hoffman et le catastrophique *Batman et Robin*, George décide de prendre un virage à cent quatre-vingts degrés. Il veut dorénavant s'investir uniquement dans des

---

1. Entretien accordé au *Chicago Sun-Times*, juin 1997.

projets de films inspirants et valorisants. Être la caution « beau gosse » des blockbusters ne lui suffit plus : il veut donner du sens à ses choix en sélectionnant des scénarios plus ambitieux. En réalité, il souhaite déjà afficher ses prises de position politiques en utilisant la fiction. Fini de passer pour une coquille vide : il a des idées à revendiquer. Et il le fera à travers le cinéma.

La politique dans le sang

La politique, chez les Clooney, est une affaire de famille qui a commencé bien avant la naissance de George. Outre le père de l'acteur, Nick, candidat aux élections à la Chambre des représentants, et sa mère Nina, conseillère municipale d'Augusta, sa tante Rosemary a flirté avec la politique. La chanteuse et comédienne était devenue au fil des mondanités une amie intime de Robert Kennedy. Pour l'anecdote, elle attendait le frère de JFK à l'Ambassador Hotel de Los Angeles la nuit où il a été assassiné, le 6 juin 1968. Elle a d'ailleurs entendu les coups de feu qui lui ont été fatals. Ce choc traumatique d'une grande violence la plongera dans une profonde dépression pendant huit années. Elle ne s'en remettra jamais vraiment. Mais son immersion dans le monde politique avait commencé avant même sa rencontre avec « Bobby ». Plus jeune, Rosemary a fait ses armes auprès de son grand-père, maire de Maysville, dans le Kentucky.

Elle a ainsi poussé la chansonnette pendant sa campagne électorale.

Les Clooney se sont transmis, de génération en génération, une fidélité indéfectible au Parti démocrate. Andrew, le grand-père de George, aimait d'ailleurs rappeler ce dicton à son fils, Nick : « *Les Républicains disent : "Sauvez la patrie, le peuple survivra." Les Démocrates disent : "Sauvez le peuple, la patrie survivra."* »

En remontant loin dans le passé, on leur trouve pourtant une accointance avec la droite américaine. Selon le site généalogique *ancestry.com*, l'une des ancêtres de l'acteur était la tante d'Abraham Lincoln, un Républicain certes, mais adoré des Démocrates pour avoir aboli l'esclavage. Seizième président des États-Unis, il était né en 1809 dans le Kentucky, où la famille de la star s'est établie en arrivant d'Irlande.

Un rôle prémonitoire

C'est à la fin des années quatre-vingt-dix que George Clooney va décider d'assumer pleinement sa sensibilité politique. Sa filmographie devient alors un puissant outil pour transmettre ses idées. Peu de temps après son baptême du feu dans *Une nuit en enfer*, l'acteur se voit proposer par Steven Spielberg un rôle dans *Le Pacificateur*, le tout premier long-métrage des studios DreamWorks. L'histoire tourne autour de missiles russes volés à la fin de la guerre froide. George y campe le rôle du lieutenant Thomas Devoe, un spécialiste en désarmement, missionné par la CIA pour retrouver les têtes nucléaires. Le pacificateur a pour objectif de rétablir la paix, et le film, sorti en 1997, est en quelque sorte prémonitoire pour George Clooney. Une forme de *predictive programming* préparant les esprits au futur rôle qu'il endossera dans la vie. Sept années plus tard en effet, passant de la fiction à la réalité, il tentera d'instaurer la paix au Darfour avec une méthodologie comparable, quasi militaire. Dans le film, le personnage de George Clooney fait passer des messages aussi patriotiques que simplistes. *« Les bons, c'est nous et nous pourchassons les méchants »*, assène-t-il. Ce long-métrage ressemble aussi à une véritable campagne de publicité pour les services de renseignements américains : *« Nous sommes très bien informés ! »* ajoute-t-il dans une autre scène. Thomas Devoe veut aussi se convaincre que son armée mène des guerres propres. Avant une opération, son personnage dira ainsi : *« Évitez les civils ! Quoi qu'il se passe, ne tirez pas sur les civils ! »* Des propos dont le réalisateur souligne le caractère utopique en nous proposant dans la foulée un échange de coups de feu très intense. La poussière a totalement envahi le lieu et on manque de visibilité pour « éviter les civils ». Cette séquence fait alors écho aux critiques dans le film d'un habitant du

Daguestan : « *Ce sont les gouvernements de l'Ouest qui ont dessiné nos frontières, parfois à l'encre et parfois dans le sang. Maintenant, vous envoyez des médiateurs de la paix pour écrire une fois de plus notre destin.* » *Le Pacificateur* n'est pas encore pleinement l'œuvre de George, qui n'en est que l'acteur. Mais ce rôle lui donnera définitivement le goût des films politiques.

S'il avait perçu un cachet de deux cent cinquante mille dollars pour *Une nuit en enfer*, l'acteur fait cette fois un grand bond en avant. Pour camper Thomas Devoe, le réalisateur de *Jurassic Park* lui a proposé plus de trois millions de dollars. Le film au budget de cinquante millions de dollars en rapportera dix de moins aux États-Unis, ce qui en fait un petit échec. Mais le plus important pour l'avenir de George est qu'il y apparaît comme un super-héros patriote, sauvant des vies et portant les valeurs morales des États-Unis. En outre, la star mesure la vraie plus-value attachée à ce genre de rôles : pouvoir développer ses idées politiques au moment de la promotion. En instrumentalisant la fiction, il illustre et étoffe ses propres opinions. Il pose en réalité les bases de ce qu'il inventera à terme : une nouvelle façon de faire de la politique.

Une plongée dans l'armée

Sur sa lancée, il tourne l'année suivante dans un autre projet, signé David O. Russell, *Les Rois du désert*. C'est l'histoire d'un groupe de soldats qui, juste après la fin de la guerre du Golfe, en 1991, partent à la recherche de l'or que les forces armées de Saddam Hussein ont dérobé au Koweït. Au cours de leur expédition secrète, les personnages incarnés par George Clooney, Mark Wahlberg et Ice Cube vont rencontrer les habitants des environs qui, survivant dans des conditions déplorables, réclament leur aide. Isolés dans leur base militaire pendant tout le conflit, les soldats semblent avoir vécu une fausse guerre. La raison de ce décalage ? Les nouvelles technologies, qui ont dématérialisé les affrontements. Il semble probable, dès la première scène du film, qu'aucun des GI n'a tiré à balles réelles de tout le conflit, se contentant d'assiéger des zones ennemies depuis des plateformes numériques. En quittant leur base ultra-sécurisée, les trois héros reçoivent en pleine face l'horreur de la guerre. Certes, le film constitue au premier abord une critique de l'intervention américaine sur le sol irakien. Mais rapidement, le cinéaste livre aussi une ode patriotique où ressurgissent les valeurs de fraternité, de justice et d'équité souvent exploitées lorsqu'il s'agit de porter à l'écran les troupes US. Dans un retournement de situation plutôt attendu, les bons soldats américains décident finalement de sauver les malheureux Irakiens persécutés par les rescapés du régime de Saddam Hussein. Les militaires sacrifient alors leur objectif premier, celui de s'enrichir, pour venir en aide au peuple livré à lui-même. En les voyant s'en aller, tous hurleront d'ailleurs : « *Ne partez pas, ne nous laissez pas !* » Le dernier quart d'heure des *Rois du désert* se transforme même en pastiche de clip humanitaire, montrant les Irakiens qui passent la frontière au ralenti et courent vers leur liberté retrouvée en levant les bras au ciel.

George Clooney a vraiment lutté pour obtenir ce rôle. Après avoir découvert le scénario grâce à un intermédiaire, il a décidé de mettre toutes les chances de son côté. Il se rend à New York à trois reprises pour rencontrer et convaincre David O. Russell, qui envisageait un acteur plus expérimenté, de la trempe d'un Clint Eastwood. George a absolument besoin de ce rôle pour réorienter sa carrière. Fan depuis son enfance des films de guerre, il explique avoir été captivé par l'intrigue moderne des *Rois du désert*. Il est aussi séduit par sa trame politique, qui se résume pourtant à ce leitmotiv : « *Nous sommes ici pour vous protéger et garantir votre sécurité, ordre du président des États-Unis.* »

Le film ne ménage néanmoins pas le dirigeant de l'époque, le taclant même directement : « *Bush leur a dit de se révolter contre Saddam et ils croyaient qu'ils avaient notre appui. Mais ils ne l'ont pas eu et maintenant ils se font massacrer.* » Un message fort pour l'acteur, qui critique depuis toujours la politique menée par les Bush, père et fils. En janvier 2003, dans le talk-show télévisé de Charlie Rose, diffusé sur le réseau public PBS, il s'en prendra même violemment au chef de l'État : « *Le gouvernement actuel fonctionne comme les Sopranos. George W. Bush aurait parfaitement sa place dans cette famille spécialiste du crime organisé.* » Pendant de longues minutes, l'acteur, visiblement très remonté, va exprimer ses craintes et son profond désaccord avec la politique menée par le Président au Moyen-Orient. Face à l'animateur, il plaide pour la possibilité de négocier avant de faire le choix d'envahir. « *Pourquoi ne pas discuter avec Saddam Hussein plutôt que de nous précipiter sur place et de tuer de nombreux civils innocents ?* » lâche-t-il, endossant pour la première fois un costume de médiateur pacifiste.

Suite à ce coup de gueule, il sera vivement critiqué par le clan des Républicains. Nick Clooney reste à ses côtés, et lui rappelle qu'il s'agit d'un simple retour de flamme. En 2003, George s'inquiète néanmoins lorsque la droite jure publiquement que sa carrière est terminée. L'acteur de quarante-deux ans craint alors d'être allé trop loin. « *Tais-toi !* lui assène son père, comme la star l'a rapporté trois ans plus tard au *Guardian*. *Mohamed Ali est allé en prison parce qu'il a osé protester contre la guerre au Vietnam, et toi, tu t'inquiètes de gagner un peu moins d'argent ? Grandis ! Sois un homme*[1] *!* »

---

1. Entretien accordé au *Guardian*, février 2006.

Cependant, deux grands studios hollywoodiens lui tournent le dos. «*Je suis un Démocrate libéral*, analyse-t-il peu après dans *The Age*, un quotidien de Melbourne. *Un Démocrate libéral notoire. Les studios Miramax et Universal m'ont condamné parce que j'ai déclaré que j'étais hostile à la guerre. C'est vrai que quelque part, leurs menaces m'ont déstabilisé, mais je peux les encaisser. En revanche, j'ai compris une chose grâce à tout ça, c'est qu'il est difficile d'entendre les voix dissidentes dans ce pays, même si 50 % de la population pense comme moi. Je reste intimement persuadé que* [le déploiement des troupes américaines en Irak] *est la chose la plus stupide que notre pays ait faite et que les conséquences seront terribles pour le monde entier*[1].»

La contestation musclée de la guerre en Irak a ranimé le feu sacré de la gauche hollywoodienne. Désormais, à chaque interview, l'acteur mettra en cause les actions du gouvernement américain. Bien plus qu'un droit, il s'agit pour lui d'un devoir patriotique. «*Depuis 2000, une partie importante de la communauté créatrice de Hollywood s'est politisée en s'impliquant dans la lutte contre la globalisation, et cette politisation s'est accélérée à cause de la guerre en Irak*», confirme l'auteur Ben Dickenson, dans un ouvrage sorti en 2006, *Hollywood's New Radicalism*. Dans le sillage de George Clooney, suivront

---

1. Entretien accordé à *The Age*, octobre 2003.

de nombreuses figures du cinéma, tels Sean Penn, Martin Sheen, Kim Basinger, Matt Damon, Laurence Fishburne, Uma Thurman, Samuel L. Jackson et Susan Sarandon.

Derrière la caméra

En 2000, l'acteur crée sa propre maison de production, Section Eight, avec son ami, le cinéaste Steven Soderbergh. Il a bien compris que s'il veut monter ses propres films politiquement engagés, il lui faudra de l'argent, beaucoup d'argent. Mais de tels projets étant peu rentables, George et son nouvel associé vont mettre au point une méthode ingénieuse : produire un *pop-corn movie* avec un casting uniquement composé d'acteurs *bankable*. L'objectif est de remplir les caisses de leur petite entreprise afin d'être libres de développer des films plus confidentiels par la suite.

Pour mettre sur les rails cette locomotive économique, le duo choisit une adaptation nerveuse de la première version d'*Ocean's Eleven* sortie en 1960, qui mettait en scène la fine fleur du Rat Pack. Le charismatique Frank Sinatra incarnait Danny Ocean (rôle qui sera repris par George Clooney), et il était entouré de Sammy Davis Jr et Dean Martin. Pour pouvoir eux aussi réunir un casting de stars, les deux acolytes de Section Eight créent un nouveau modèle de rémunération. Ils vont demander à Brad Pitt, Matt Damon, Julia Roberts *and co* de tourner dans leur film pour un cachet très bas, et d'être ensuite rémunérés sur les recettes engrangées. C'est la condition pour que le long-métrage puisse voir le jour.

Sorti aux États-Unis en décembre 2001, tout juste trois mois après les attentats de New York, *Ocean's Eleven* trouve un public qui a désespérément envie d'une bouffée d'oxygène. Avec son budget de 85 millions de dollars, le film rapportera 183 millions sur le territoire américain et près de 450 millions à l'étranger. Un énorme carton. L'objectif de Clooney et de Soderbergh est largement atteint.

L'année suivante, l'acteur peut donc se concentrer à nouveau sur des scénarios dotés d'une forte portée politique. Son père influencera son premier choix en tant que réalisateur. Nick Clooney a beau vivre à trois mille kilomètres de Los Angeles, il reste très présent dans les orientations stratégiques de son fiston… Quelques années auparavant, le journaliste avait adoré le livre à inspiration autobiographique de Chuck Barris, *Confessions d'un homme dangereux*. L'histoire fascinante d'un présentateur de télévision recruté par la CIA afin de devenir un tueur à gages. George Clooney interprète un recruteur, Jim Byrd. Dans ce film, tuer pour la CIA prend carrément des airs d'acte patriotique ! On remarque aussi qu'à chaque nouvelle mission réalisée, le héros joué par Sam Rockwell voit sa carrière monter d'un cran. Comme si des promotions venaient récompenser son obéissance absolue à la CIA. Il est alors amusant de noter que, dans la vraie vie, George Clooney a obtenu son tout premier Oscar pour le film *Syriana* l'année de sa mobilisation totale pour la cause du Darfour. Existerait-il un lien étroit entre le monde du divertissement et la sphère politique ? Les films servent-ils parfois d'outils de propagande militaire ?

L'auteur Tricia Jenkins propose des éléments de réponse dans un livre sorti en 2012, *The CIA in Hollywood*, où elle explique la façon dont l'agence de renseignements américaine a formaté l'industrie du cinéma. La CIA aurait créé dès le début des années quatre-vingt-dix une section spéciale visant à développer des projets qui valorisent son image. Certains scénaristes écriraient d'ailleurs des scripts spécialement pour l'agence. Dans le cas où un réalisateur choisirait d'en acheter les droits, la CIA mettrait alors à sa disposition des décors, des costumes, des figurants, et lui permettrait un accès privilégié aux nouvelles technologies militaires en cours de développement. Récemment, des dossiers déclassés de la CIA ont d'ailleurs dévoilé que le film *Zero Dark Thirty*, qui retrace la traque de Ben Laden, aurait bénéficié de l'aide de Leon Panetta, le directeur de l'agence. Ce haut fonctionnaire aurait révélé de nombreuses informations confidentielles à la réalisatrice, Kathryn Bigelow, et au scénariste, Mark Boal, pour l'écriture du script. Tous les trois se seraient même rencontrés pour la première fois en 2010, lors d'un dîner à Washington. Échangeant notes et renseignements dans les arcanes du pouvoir…

Une œuvre de plus en plus personnelle

En 2005, George choisit de réaliser *Good Night, and Good Luck*, et c'est une nouvelle fois Nick qui tire les ficelles. Il s'agit de l'histoire du journaliste de radio Edward R. Murrow, un héros pour son père quand il était enfant. Ce qui fascinait le jeune Nick, c'est qu'il n'hésitait pas à s'en prendre à des géants politiques, en direct à l'antenne. Modèle d'honnêteté intellectuelle, Edward R. Murrow restera célèbre pour son attaque contre le sénateur Joseph McCarthy et sa chasse aux communistes. Ce nouveau film est donc particulièrement cher à l'acteur. Il devra d'ailleurs hypothéquer sa maison de Los Angeles pour le mener à bien, les compagnies d'assurances refusant de le soutenir à cause d'une blessure sur un précédent tournage. Le projet est estimé à sept millions de dollars et George ne s'attribuera qu'un salaire équivalant à un dollar par jour pour son travail d'écriture, de réalisation et d'interprétation !

La même année, l'acteur se lance dans la production de l'un des films les plus emblématiques de sa carrière : *Syriana*. Ce long-métrage entend pointer du doigt les rapports biaisés entre les États-Unis et les pays détenteurs de

pétrole. « Syriana *n'est pas une attaque contre l'administra-*
tion Bush, mais une critique d'un système qui existe depuis
plus de soixante-dix ans autour du pétrole[1] », explique-t-il.
Le film met en évidence le rôle majeur de l'or noir dans les
guerres du monde arabe. Mais il apporte aussi un éclairage
tout particulier sur les ramifications secrètes entre le business pétrolier et le terrorisme international. George pense
que le cinéma peut faire réfléchir. Il a bien l'intention de
continuer à monter des films qui dérangent. Pour lui, il
existe d'ailleurs une certaine continuité entre *Good Night,*
and Good Luck et *Syriana* : dans le premier, le gouvernement agitait la peur du communisme ; dans le second, c'est
la menace terroriste que l'administration Bush met en avant
pour déployer ses troupes en Irak.

Dans ce long-métrage, George incarne un agent de la
CIA en rupture totale avec la politique de Washington.
« Syriana » est d'ailleurs le nom de code utilisé par l'agence
pour parler du Moyen-Orient. Un peu comme dans *Les Rois*
du désert, son personnage semble perdu dans des affaires qui
le dépassent. Notons qu'à plusieurs reprises dans ce film, il
parle arabe avec un accent impeccable, prouesse qui lui a
demandé de nombreuses heures de répétition.

---

1. Entretien accordé à *Total Film*, mars 2006.

En levant le voile sur les enjeux économiques et stratégiques dictés par les compagnies pétrolières, l'acteur s'attire à nouveau les foudres du clan républicain. Le journaliste conservateur Charles Krauthammer ira jusqu'à écrire dans le *Washington Post* qu'«*Oussama ben Laden n'aurait pas réalisé ce film avec plus de conviction*».

George se lance donc dans un cinéma militant qui ose se mesurer à l'actualité. Une audace saluée par certaines figures de la profession. «*Cette année prouve que l'on peut faire des films avec un contenu sans qu'ils aient un goût de médicament, des films à la fois forts et divertissants*», affirme Charlize Theron lors de la soirée des Oscars de 2006, qui verront George nommé à la fois pour *Syriana* et *Good Night, and Good Luck*. «*Il se passe des choses assez démentes dans le monde actuellement, alors comment ne pas y prêter attention?*» ajoute-t-elle.

Pour ce film, George Clooney rompt totalement avec son image de beau gosse sexy. Il a pris plus de quinze kilos, s'est laissé pousser la barbe et y arbore le cheveu gras. Cette transformation physique et son interprétation vont lui valoir un Oscar. S'il obtient le prix, il ne se privera pourtant pas de dénoncer la fameuse campagne de lobbying pré-cérémonie: «*Au lieu de faire un film et d'attendre d'être récompensé pour son travail, on doit se transformer en lèche-cul auprès des membres de l'Académie, comme dans une campagne politique. On doit se rendre à tous les cocktails pour séduire les gens. On s'enfonce alors petit à petit dans une spirale de flagornerie et on s'en sent un peu coupable.* » Avant de préciser : «*Voilà ce que l'on ressent : "Mon Dieu je suis vraiment en train de faire du lobbying pour récolter des votes ?" Mais tout votre entourage vous répète en boucle : "C'est comme ça que tu dois agir, George." Alors je m'y suis mis. Après toute cette campagne autour de* Syriana, *j'ai décidé de me rendre au Darfour. Je me suis dit que je devais me racheter, parce que je venais de faire des trucs qui ne me rendaient pas fier*[1]. »

Peu après, l'acteur se mue en Michael Clayton, avocat d'un prestigieux cabinet new-yorkais et recours ultime pour les causes désespérées. Il est alors entraîné dans une sombre histoire impliquant une multinationale qui produit des engrais toxiques, et va devoir se surpasser pour remporter l'affaire. À la sortie du film en 2007, la star vient d'annoncer publiquement son engagement pour le Darfour. George demandera même à travers une lettre ouverte à la chancelière allemande et à ses homologues européens de faire pression sur le Soudan. Dans ce contexte politique, deux citations de *Michael Clayton* prennent une résonance toute particulière : «*Je ne fais pas de miracles, je fais le ménage. Et*

---

1. Cité par Karin Cohen Dicker, *George Clooney, gentleman-acteur, op. cit.*

moins c'est la merde, plus je peux faire le ménage facilement. »
Puis, plus tard, lorsque le héros échappe à un assassinat, il
dit en fulminant au personnage de Tilda Swinton : « *Je ne
suis pas le connard que l'on assassine. Je suis celui que l'on
paye. Je suis un arrangeur, l'homme à tout faire.* » L'année
suivante, l'ONU nommera l'acteur Messager de la paix, la
plus haute distinction pour un civil, avec pour ordre de
mission la promotion des opérations de maintien de la paix.
Quand la réalité s'aligne sur la fiction…

Deux ans plus tard, sort le film *Les Chèvres du Pentagone*,
produit par Smoke House, la société créée par George avec
l'un de ses Boys, Grant Heslov. L'intrigue nous parachute
avec humour dans une unité très particulière de l'armée
américaine. Il y est question d'entraîner des militaires d'un
nouveau genre, pour en faire des super-soldats, des sortes
de guerriers Jedi de l'espionnage dotés de pouvoirs extralu-
cides. Ces « agents télépathiques » bénéficient aussi de
l'arme ultime du « regard ardent », que George maîtrise
depuis toujours !

Encore deux ans, et les spectateurs découvrent
Les Marches du pouvoir, dont il est le producteur, le réalisateur et l'acteur principal. Dans ce film qui a coûté douze
millions et demi de dollars et en a rapporté soixante-seize, il
interprète un politicien (démocrate forcément) aveuglé par
l'ambition. Lors de l'un de ses discours, son personnage,

le gouverneur Mike Morris, dira : « *Savez-vous comment l'on évite le terrorisme ? En empêchant les échanges commerciaux. Le pétrole est à eux. Eh bien, n'en achetons plus et ils le paieront cher ! Pas besoin de les envahir et de les bombarder, c'est inutile.* » George aurait pu tenir ces propos lors d'un talk-show face à Charlie Rose ou Bill Maher.

Fiction et réalité semblent donc intimement liées dans la filmographie de Clooney. Un sigle parcourt d'ailleurs nombre de ses scénarios : celui de la CIA. L'Agence centrale de renseignements se trouve souvent au cœur des idées de films soumises par son père. Désormais, l'acteur s'investit clairement dans la politique américaine. Et après des années à en parler sur les écrans, il est prêt à passer à l'action.

VII

UN STRATÈGE PLANÉTAIRE

« Je suis un diplomate d'un nouveau genre,
parfois un peu effrayant. »

George Clooney

C'est son habitude, depuis toujours. Contrairement à bien d'autres stars, George Clooney aime arriver en avance aux avant-premières de ses films. Le but : profiter au maximum de ses admirateurs, serrer des mains, prendre des photos. Un candidat en campagne ne procéderait pas autrement. Il faut dire que George connaît bien le monde politique. En octobre 2011, en pleine promotion des *Marches du pouvoir*, il en donnait d'ailleurs sa vision à une journaliste de *Paris Match* : *« Faire de la politique, c'est un peu comme jouer aux échecs, c'est très subtil, très fin. C'est d'ailleurs beaucoup plus séduisant de l'observer de l'extérieur que d'en faire partie. À notre façon, nous jouons tous un peu aux échecs dans nos métiers. La différence est qu'en politique, la moindre erreur peut coûter la vie de milliers de gens. La politique fait partie de mon ADN[1].* » Plus loin dans l'interview, l'acteur précise combien les mondes de la politique et du divertissement se rejoignent : « *Une campagne électorale, ça se construit comme une campagne des Oscars. Il y a des spécialistes qui savent vendre et promouvoir des films, c'est à eux qu'il faut s'adresser. On est peut-être très à gauche, à Hollywood, mais en tout cas, on est de très bons vendeurs. Avec une merde, on est capables de faire des millions de dollars.* »

Ces déclarations laissent pressentir l'ambivalence de George Clooney. L'acteur a beau prétendre observer la politique de loin, il plonge les mains dans le cambouis diplomatique depuis de nombreuses années. Bien qu'il soutienne ne briguer aucun mandat électif, il évolue déjà au cœur d'un système de pouvoir. Au-delà du cinéma, cet acteur, producteur et réalisateur de premier plan nourrit en réalité d'autres ambitions. Sa véritable passion, transmise par son père Nick, reste définitivement la politique, et ses corollaires, les enjeux militaires et économiques.

---

1. Entretien accordé à *Paris Match*, octobre 2011.

La politique du charme

Depuis la fin des années quatre-vingt-dix, George Clooney n'a jamais manqué de ponctuer ses apparitions promotionnelles de discours engagés. Comme nous l'avons évoqué, en 2005, il instrumentalisait la sortie de *Syriana* pour dénoncer l'industrie pétrochimique. Mais il ne s'est pas contenté de disserter sur le sujet. Dans la foulée, il a lancé Oil Change, une campagne visant à faire réfléchir sur la dangereuse dépendance des États-Unis au pétrole étranger, en provenance du monde arabe notamment. « *Quand tu fais un film sur la consommation de pétrole et la corruption qu'elle génère, tu ne peux pas juste en parler, il faut agir contre !* » précisait-il lors du lancement de la campagne.

L'acteur joue aussi un rôle majeur d'influenceur à l'intérieur de son pays. Selon François Durpaire, spécialiste des États-Unis, George Clooney possède un poids très important dans la vie politique. « *Lors des primaires, les célébrités ont un rôle clair dans la levée de fonds, et elles peuvent aussi crédibiliser une candidature assez tôt. George Clooney en est un excellent exemple. Pour sa première campagne, en 2007, Obama s'est tout de suite affiché avec lui, comme avec Jay-Z, Ben Affleck, Jennifer Aniston et d'autres... Cela a déstabilisé Hillary Clinton et a joué entre les deux candidats démocrates. On a par exemple estimé que l'animatrice Oprah Winfrey aurait fait déplacer un million de voix de Hillary Clinton vers Barack*

Obama. Depuis 2008, la communication s'est donc beaucoup transformée, et les campagnes sont de plus en plus pipolisées[1]. »

Son influence devient encore plus manifeste lors de la deuxième campagne présidentielle du chef d'État américain. En mai 2012, George Clooney organise ainsi un dîner dans sa maison de Los Angeles. Le but : lever des fonds pour soutenir son candidat favori. Ce soir-là, Jack Black, Barbra Streisand, Diane von Furstenberg, Billy Crystal, Robert Downey Jr, Salma Hayek et Tobey Maguire font partie des cent cinquante invités installés sous une tente, dans le jardin de la très chic Casa de Clooney. Pour participer à cette soirée et soutenir le candidat, chaque convive a dû débourser 40 000 dollars. Au total, 15 millions seront récoltés ! Un record absolu dans l'histoire des campagnes électorales américaines. À l'issue de l'événement, Barack Obama – qui a besoin de moyens pour ses déplacements de campagne et l'achat d'espaces publicitaires – lancera aux journalistes présents : « *Nous avons récupéré beaucoup d'argent parce que tout le monde aime George ! Moi, on m'aime bien, mais lui, on l'aime tout court. Et c'est mérité !* »

« *Le vrai poids des acteurs est surtout financier*, nous explique la politologue Nicole Bacharan[2]. *En organisant des*

---

1. Entretien avec les auteurs, le 10 mars 2016.
2. Entretien avec les auteurs, le 9 mars 2016.

dîners, des galas, ils donnent envie d'approcher le candidat. En général, cela ne va pas beaucoup plus loin, même si certaines personnalités peuvent représenter une partie de l'électorat. Une campagne sans people serait en tout cas un mauvais signe : cela montrerait que personne n'y croit. » Depuis 2007, George Clooney joue parfaitement le rôle d'aimant à stars pour Barack Obama, et fait exploser la couverture médiatique de ses campagnes.

Le voyant évoluer avec une telle aisance dans un univers si codifié, de nombreux journalistes ont posé la question évidente : pourquoi ne tenterait-il pas sa chance, en se proposant par exemple pour le poste de gouverneur ? La Californie a ainsi montré qu'elle ne rechignait pas à élire à cette fonction un acteur, tels Ronald Reagan et Arnold Schwarzenegger. Mais la star a pour l'instant toujours freiné des quatre fers. « *Gagner une élection, c'est bien, mais quel est le prix à payer ? Si c'est au prix d'y laisser votre âme, est-ce que cela en vaut vraiment la peine ? Je n'ai aucune envie de me présenter où que ce soit, car je suis incapable de faire le moindre compromis lié à l'exercice du pouvoir. Je me vois mal en train de serrer des mains de personnes que je ne respecte pas, et embrasser des bébés toute la journée*[1] », poursuivait-il dans les colonnes de *Paris Match*. Surtout qu'il conserve le

---

1. Entretien accordé à *Paris Match*, octobre 2011.

souvenir des élections à la Chambre des représentants, que son père avait perdues au Kentucky. « *C'est ce qui a failli tuer mon père lorsqu'il s'est présenté au Congrès en 2004. Je préfère de loin jouer un gouverneur qu'en être un !* »

L'école du CFR

Si George ne vise pour le moment aucune élection, il ne craint pourtant pas les institutions. Le slasheur du cinéma fréquente en effet le CFR, le Council on Foreign Relations. Ce think tank fondé en 1921 compte environ cinq mille membres issus du milieu des affaires et de la politique. Son siège se situe à New York, avec une antenne au plus près du pouvoir, à Washington. Son objectif : analyser la politique étrangère des États-Unis, et la situation du monde. Mais au-delà de la réflexion pure, le CFR est un organe d'influence, qui agirait comme un puissant lobby.

Dans une étude réalisée en 2004, *Imperial Brain Trust*, Laurence Shoup et William Minter expliquent que sur cinq cent deux membres importants des gouvernements américains entre 1945 et 1972, plus de 50 % ont participé au CFR, ce qui relèverait d'un « *rite de passage pour quiconque aspire à devenir un dirigeant de la sécurité nationale* ». Le CFR déterminerait en effet les grands mouvements de la diplomatie américaine. Mais en étant financé par deux cents multinationales, il favorise aussi certains intérêts économiques, comme l'ouverture de nouveaux marchés en Amérique du Sud ou en Afrique. Au CFR, l'élite du business mondial pourrait alors peser sur la politique étrangère des États-Unis, et deviendrait, dans une certaine mesure, un agent de l'interventionnisme américain.

Il est impossible de savoir la date exacte à laquelle George Clooney a approché le CFR pour la première fois. Mais une chose est sûre, il en devient membre à vie en 2010, parrainé par l'éditorialiste du *New York Times*, Nicholas Kristof, et par le journaliste Charlie Rose. Cette promotion n'est possible que si la personnalité a déjà réalisé différents travaux au sein du comité. Il est probable que l'acteur ait donc suivi, comme Angelina Jolie, des stages ponctuels au CFR. Lors de sa promotion, il déclarait d'ailleurs, amusé : « *Je suis très honoré d'avoir été nommé, et j'ai cru comprendre que le rituel d'initiation était terrible !* »

Darfour toujours

L'acteur ne se contente pas d'affirmer sa vision du monde dans l'enceinte privée du CFR. Très vite, il s'est impliqué dans des causes ponctuelles, comme l'aide aux victimes du 11 Septembre, de l'ouragan Katrina ou du tremblement de terre en Haïti. Grâce à sa notoriété, il va pouvoir braquer les projecteurs sur des contrées lointaines, mal connues du public occidental. Parmi elles, le Darfour, dont le nom sera à jamais associé au sien.

C'est en 2005 qu'il devient le visage de l'aide humanitaire dans cette région de l'ouest du Soudan. Il a été alerté sur la situation par une série d'articles de Nicholas Kristof dans le *New York Times*. Le journaliste y racontait comment des milliers de personnes avaient péri dans une guerre civile sanglante. Les origines du conflit, qui dure depuis 2003, sont diverses et complexes. Le Soudan est mal unifié, entre sud et nord, et la découverte de ressources pétrolières au Darfour n'a rien arrangé. L'acteur va s'impliquer pleinement dans cette cause, rencontrant d'ailleurs pour la première fois Barack Obama, alors sénateur, pour lui en parler. « *Nous avons eu l'occasion de mieux nous connaître*, expliquait ce dernier lors d'une conférence de presse. *C'est un type bien, qui est devenu un ami sincère.* »

La même année, à plus de dix mille kilomètres de Washington, se négocie au Soudan un accord de paix entre le président Omar el-Béchir et John Garang, fondateur de l'Armée populaire de libération du Soudan, qui lutte pour l'indépendance de la zone Sud. Lorsque John Garang devient vice-président, le 9 juillet, naît l'espoir d'un territoire stabilisé. Mais le 30 juillet, soit tout juste vingt et un jours après sa nomination, il périt dans un accident d'hélicoptère. Son décès va susciter des émeutes meurtrières, empêchant la formation d'un gouvernement d'unité nationale, et l'application de l'accord de paix signé sept mois auparavant.

L'année suivante, George et Nick Clooney se rendent sur place pour réaliser un reportage au plus près de la crise. L'acteur veut sensibiliser l'opinion publique au désarroi de cette population décimée. Certes, quelques voix dissonantes affirmeront qu'il cherche surtout à fabriquer un film de propagande, dans le but de renforcer la vision américaine du conflit et valider les mesures de l'ONU. Mais pour alerter l'opinion, il est impératif de disposer d'images et de témoignages. Début 2006, il convainc aussi NBC de tourner un épisode d'*Urgences* traitant du conflit. Ce mélange entre divertissement et politique que l'ex-star de la série médicale affectionne...

À l'époque, le Soudan représente l'un des dossiers prioritaires de la politique étrangère du président Bush, comme nous l'a expliqué le journaliste et essayiste Michel Collon[1] : « *La corne de l'Afrique est très convoitée car elle se trouve au cœur des routes maritimes vers la Chine. Et les États-Unis ont mis en place une tactique pour bloquer ces voies, qui permettent à la Chine d'acheminer des matières premières depuis*

---

1. Entretien avec les auteurs, le 3 avril 2016.

l'Afrique, le Moyen-Orient et même l'Amérique latine. Ils veulent empêcher les États africains de s'allier à la Chine. »

Le 14 septembre 2006 est une date importante pour George Clooney. Il prononce son premier discours à la tribune des Nations unies, à propos du Darfour. *« Je n'ai jamais autant sué de ma vie que lors de mon speech à l'ONU »,* avouera-t-il plus tard. Il faut dire que le baptême n'est pas de tout repos ! *« Les ambassadeurs chinois et russe ont quitté la salle car ils ne voulaient pas laisser la parole à un acteur,* se souvenait-il en 2013 dans les pages d'*Esquire. Puis l'ambassadeur du Qatar a dit : "Je proteste contre le fait que nous laissions un acteur parler ici. Comment ose-t-il venir et pour qui se prend-il ?"* » Cet accueil plus que glacial ne l'empêche pas de réclamer aux Nations unies des sanctions et une intervention sur le terrain : *« N'attendez pas leur invitation ou le consentement du Soudan. S'il le donne, tant mieux. Sinon, allez-y quand même. Les criminels tortionnaires et les assassins n'attendent pas. Arrêtez-les. C'est ce que vous demande la Charte des Nations unies. Intervenir. Sauver des vies ! »* Une demande qu'il assortit d'images fortes : *« La façon dont vous aborderez ce problème constituera votre héritage, votre Rwanda, votre Cambodge, votre Auschwitz. »* De quoi marquer les esprits. Servant le même objectif, en mars 2012, il se fera arrêter pour avoir manifesté devant l'ambassade du Soudan à Washington.

Un message simplifié

Pourtant, son SOS ne fait pas l'unanimité. De nombreux Républicains pointent alors du doigt sa contradiction idéologique et politique. Au début des années deux mille, George affichait en effet sa farouche opposition à l'inspection controversée des Nations unies en Irak puis à l'envoi des troupes américaines. Étonnant alors de l'entendre demander un interventionnisme armé quelques années plus tard. «*Pour beaucoup, George Clooney apparaît avant tout comme le digne représentant de l'impérialisme américain, nourrissant l'idée selon laquelle il revient à l'Amérique et à la communauté internationale de résoudre les crises en Afrique*», pourra-t-on alors lire dans le *Guardian*.

Désormais, la cause obsède en tout cas la star, qui n'hésite plus à haranguer les foules sur le sujet. Même lorsque les circonstances ne s'y prêtent pas forcément... L'année 2007 est ainsi marquée par sa prise de parole inattendue au Festival de Toronto. «*À l'heure actuelle, nous sommes dans une position où nous avons une chance de traité de paix, pas seulement avec le gouvernement de Khartoum mais entre tous les adversaires*», lance-t-il à un public qui ne comprend visiblement pas tous les enjeux de ce conflit. Lors du Festival de Cannes, la même année, il pousse le curseur encore un peu plus loin, en organisant une soirée caritative sur un yacht, entouré de deux cents convives qui ont dû débourser jusqu'à deux cent mille dollars par couvert. C'est entouré de ses Padawans, les comédiens Don Cheadle, Brad Pitt et Matt Damon, que George a mis sur pied cette opération de sensibilisation mondaine. *« Nous avons pensé que quitte à venir à Cannes, autant lever des fonds et informer les gens au sujet d'une cause qui nous tient à cœur. »* Au menu, homard, truffe et discussions humanitaires. *« Nous avons besoin de récolter de l'argent, mais nous devons également faire du lobbying auprès des personnes au pouvoir, afin de faire changer le cours des événements. »* Ce soir-là, Not On Our Watch, l'ONG qu'il a créée pour centraliser les fonds, récolte environ neuf millions de dollars. Des chiffres qui ancrent aussi son influence sur la scène politique internationale. *« Je ne suis pas un stratège […] Je suis un diplomate d'un nouveau genre, parfois un peu effrayant*[1] *»*, précise-t-il d'ailleurs lorsqu'on lui demande de définir sa position dans les affaires étrangères américaines.

Un rôle que le journaliste Michel Collon définit autrement : *« Il faut absolument habiller les ingérences stratégiques par de l'humanitaire et du glamour. On a tous en mémoire les images de Bernard Kouchner en Somalie, dans sa belle chemise, portant son sac de riz sur l'épaule. En réalité, il prenait la pose sur la plage, entouré de photographes et de*

---

1. Cité par Karin Cohen Dicker, *George Clooney, gentleman-acteur*, Nouveau Monde Éditions, 2008.

caméras. À l'époque, la Somalie avait d'énormes réserves de pétrole. Il a donc fallu mettre sur pied une ingérence humanitaire[1]. » George Clooney serait-il la version actualisée de l'ancien ministre de la Santé et de l'Action humanitaire, qui affirmait en 1986 que *« la charité est devenue un produit de consommation de masse »* ? Oui, à en croire Michel Collon. *« Il est bien plus qu'un simple acteur indépendant qui a quelques idées de gauche et s'exprime de manière anticonformiste. George Clooney a servi les intérêts et la stratégie des États-Unis dans la région du Soudan[2]. »*

Pour être compris par le plus grand nombre, George Clooney a d'ailleurs volontairement simplifié ses déclarations à propos du génocide au Darfour. Chaque prise de parole sera truffée d'éléments de langage impactants : *« Nous demandons au gouvernement de Khartoum de cesser de tuer des hommes, des femmes et des enfants innocents. Il faut arrêter de les violer et de les affamer. »* Voilà, en substance, l'appel à l'aide humanitaire que martèlera l'acteur au fil des mois, insistant aussi sur l'aspect racial du conflit.

Sa campagne « Save Darfur » semble néanmoins dépolitiser la crise, en occultant totalement sa composante économique. Si cette région a sombré dans la guerre civile depuis

---

1. Entretien avec les auteurs, le 3 avril 2016.
2. *Idem.*

de nombreuses années, ce serait aussi à cause de la répartition du pétrole découvert dans les années soixante-dix. Or, lorsque, le 9 juillet 2011, le Soudan du Sud est créé, son sous-sol a la particularité de détenir plus de 80 % du pétrole soudanais. De quoi aiguiser l'intérêt du régime de Khartoum et faire repartir les violences de plus belle.

Le Satellite Sentinel Project

Bien que ses analyses sur le Darfour semblent parfois un peu floues, George ne se limite pas à en être une figure médiatique : il en est devenu un acteur sur le terrain. Comment ? En finançant un satellite pour surveiller les faits et gestes du président soudanais Omar el-Béchir ! Dès 2010, il investit en effet tous les cachets que lui verse Nespresso dans ce projet. L'objet du « Satellite Sentinel Project » : recueillir des images capturées de tanks, charniers, et autres exactions sur le territoire. Un site internet est alors consacré à cette observation satellitaire. L'opération tend à présenter des preuves de la culpabilité du chef d'État, pour qu'il soit traduit devant la Cour pénale internationale. Une incroyable mission qui semble tout droit sortie d'un film d'espionnage...

Cette surveillance ne plaît évidemment pas à Omar el-Béchir, comme le racontait l'acteur dans une interview accordée au *Guardian* en 2010. « *Il a fait un communiqué à ce sujet, en déclarant que je l'espionnais et me demandant quelle serait ma réaction si une caméra me suivait partout où j'allais. Et je lui ai répondu : "Hey, bienvenue dans mon monde, monsieur le criminel de guerre !"* » Quinze mois plus tard, George se montre en tout cas catégorique sur l'utilité de son projet : il affirme dans les pages de l'*International Business Times* que les images ont parlé, et qu'il s'agit bien de crimes de guerre. Notons tout de même que pour certains spécialistes de la surveillance satellitaire, il serait impossible d'identifier formellement des criminels, ou d'évaluer le nombre de victimes, compte tenu de la faible définition des images collectées. Mais l'objectif principal du Satellite Sentinel Project reste de trouver rapidement des preuves contre Omar el-Béchir, pour le neutraliser.

Quant à l'éventuelle problématique éthique que pourrait représenter cette surveillance, l'acteur a une réponse toute trouvée : « *On peut parler d'espionnage s'il s'agit d'un pays, des Nations unies, peut-être. Mais que faire si je suis seulement un paparazzi d'un nouveau genre avec un objectif de six cent quarante kilomètres ? Est-ce de l'espionnage dans ce cas ? On peut aussi dire que je suis juste un touriste qui prend des photos et qui les met sur le web* », déclarait-il dans la même interview à l'*International Business Times*. Un « touriste » dont l'intérêt pour la région n'a plus de limite : désormais, la République démocratique du Congo, la République centrafricaine et la

Syrie sont aussi dans le viseur du fameux satellite, comme indiqué sur son site.

Partie de cash-cash

Un acteur qui s'offre un satellite espion, c'est une grande première ! De quoi s'interroger sur l'étendue de la fortune de George Clooney. S'il n'a connu le succès qu'à l'âge de trente-trois ans, il a depuis largement rattrapé le temps perdu. À cinquante-cinq ans, il reste parmi les acteurs les mieux payés au monde. Pour 2015, ses revenus étaient estimés à 16,5 millions de dollars, d'après *Forbes*. Sa fortune globale est quant à elle estimée à 180 millions de dollars, incluant ses propriétés de Los Angeles, Laglio, Cabo San Lucas et Sonning en Angleterre. Certes, l'acteur tourne moins qu'il y a dix ans. Mais il peut compter sur les revenus générés par la société de production qu'il a créée en 2006 avec Grant Heslov, Smoke House. Et il a aussi tiré ses recettes de très lucratifs contrats publicitaires (Fiat, Omega, Martini, pour les plus connus). Sans oublier bien sûr Nespresso, depuis 2005. Un contrat qui lui rapporterait entre 8 à 10 millions de dollars par an. Mais pour la marque aux capsules multicolores, l'investissement a très vite été rentabilisé. Grâce à son capital sympathie et à son « *What else ?* » devenu culte, l'acteur a permis à l'enseigne d'augmenter ses ventes de 30 % (on parle de 46 % pour la seule année 2007). Il a beau avoir toujours dit ne pas être obsédé par l'argent – « *Combien de fois faut-il toucher vingt millions pour être heureux ?* » s'interrogeait-il en 2000 –, George Clooney a le sens des affaires et sait parfaitement faire fructifier son capital.

En octobre 2015, le *Belfast Telegraph* annonçait ainsi qu'il prévoyait de sortir le chéquier pour fêter sa première année de mariage avec Amal Alamuddin. Le cadeau ? Un restaurant japonais ! Lors de ses séjours à Los Angeles, l'avocate serait en effet tombée amoureuse des recettes imaginées par Tetsuya Nakao chez Asanebo. Et le quotidien rapportait que l'acteur était en pourparlers pour ouvrir avec le chef un établissement à Londres, histoire que sa femme puisse se régaler lors de ses séjours en Angleterre !

Ce projet, pas encore confirmé, correspond bien au caractère de George. Il n'a en effet jamais hésité à placer son argent dans quelques sociétés ciblées. Casamigos bien sûr, la marque de tequila qu'il a fondée avec son partenaire Rande Gerber, et dont ils arrosent toutes les mondanités de Hollywood. « *Son succès est dingue*, s'étonne d'ailleurs George Clooney. *De tout ce que j'ai fait, c'est ce qui aura le mieux marché financièrement*[1]. » Mais ce n'était pas le premier projet du tandem. George investit dans les

---

1. Entretien accordé à *Esquire*, avril 2016.

établissements de son ami depuis déjà des années. En 2005, en pleine fièvre des *Ocean's*, ils s'étaient ainsi lancés avec d'autres promoteurs dans la construction d'un hôtel-casino, dans la capitale du jeu. Le concept de Las Ramblas Resort : faire revivre le « Vegas vintage ». L'année suivante, ils revendaient pourtant leurs parts à un groupe hôtelier, après avoir dû faire face à une construction trop coûteuse. *« J'imagine que je vais devoir trouver un autre lieu où aller jouer*, expliquait George, visiblement déçu, dans un communiqué. *Je donnerai les profits de cette vente à un fonds d'allègement de la dette africaine. »* Pour George, la frontière devient ténue entre affaires et humanitaire !

Entre charity et business

Attentats, tremblements de terre, génocides : à chaque catastrophe, les stars s'unissent pour récolter des fonds. Des agences de communication spécialisées dans le charity business ont même éclos afin de mettre en valeur la générosité des célébrités. Le Global Philanthropy Group, par exemple, conseille des personnalités telles Eva Longoria et Shakira à propos de leurs engagements humanitaires. Désormais, les œuvres caritatives semblent même être attribuées aux acteurs de premier plan comme le seraient les rôles d'une superproduction : Sean Penn représentera Haïti ; Ben Affleck deviendra le porte-parole du Congo, avec son Eastern Congo Initiative ; Brad Pitt s'occupera de reconstruire La Nouvelle-Orléans, y achetant même une maison pour y vivre entre deux tournages ; Matt Damon et Leonardo DiCaprio seront, quant à eux, les figures de proue de l'écologie. Avec une personnalité à l'aura internationale, chaque cause est assurée d'avoir un relais médiatique tonitruant. Et les stars, de leur côté, en voient leur image renforcée. *« Les people qui se lancent dans ces alertes humanitaires s'attirent rarement des critiques,* explique le sociologue Guillaume Erner dans *La Souveraineté du people*[1]. *Protégés par une sorte de "consensus compassionnel", ils trouvent précisément dans ce domaine un moyen d'enrichir leur capital sympathie dans l'opinion. »*

Mais George Clooney va une nouvelle fois aller plus loin, ne se contentant plus de jouer les lanceurs d'alerte. Courant 2011, la situation au Darfour semble en partie débloquée : un mandat d'arrêt international a été lancé contre le président Omar el-Béchir et le Soudan du Sud a été créé. Une nouvelle partition politique est alors déployée par l'acteur. À partir de 2012, il axe sa communication sur le développement de l'agriculture écologique dans ce tout jeune pays, afin de permettre aux Soudanais de devenir

---

1. Guillaume Erner, *La Souveraineté du people, op. cit.*

indépendants. Et pour y arriver, il va faire appel à son partenaire privilégié.

Très rapidement, Nespresso réalise en effet les incroyables possibilités de développement qu'offre ce territoire. Un communiqué de presse diffusé en 2013 met ainsi en avant les visées humanitaires de l'opération au Darfour : « *Nespresso et TechnoServe* [une association à but non lucratif] *se sont associés pour améliorer les moyens de survie des habitants, en mettant en place une stratégie focalisée sur le développement durable du café, qui sera une fabuleuse source d'approvisionnement pour Nespresso.* » La région ne pouvait de toute façon qu'intéresser le groupe Nestlé, propriétaire de la marque. Le sud du Soudan est en effet un berceau de la culture du café.

Du pétrole au café : les ors noirs du Sud-Soudan

En faisant converger ses rôles de porte-parole de la cause soudanaise et d'ambassadeur Nespresso, George Clooney a donc ouvert de nouvelles perspectives à l'enseigne. Depuis l'indépendance du Soudan du Sud, en 2011, l'entreprise a consacré des millions d'euros à y produire du café, y former cinq cents agriculteurs et y installer des coopératives. Des investissements que Nespresso dit vouloir poursuivre : près de deux millions d'euros pourraient être affectés d'ici à 2020 au développement de cette culture dans la région de Yei. Le dessein annoncé de l'opération est de libérer le territoire de sa dépendance pétrolière. Un choix qui sert également l'image de Nestlé : le groupe a l'opportunité de soutenir une cause humanitaire qui a été portée par sa propre égérie. Et si le véritable or noir de la région reste le pétrole, le café lui assure un développement économique.

La boucle qui relie George Clooney, Nespresso et le Darfour sera d'ailleurs bouclée en octobre 2015, suite au lancement en France des capsules « Suluja ti South Sudan », en édition limitée (faute d'une production suffisante). Avec ce produit, c'est plus qu'un café que les membres du Club Nespresso sont invités à déguster, mais bien « le commencement du Soudan du Sud » – même si, au-delà du discours marketing, la situation sur place reste chaotique. Mais en attirant l'attention de l'Occident sur le Darfour, George Clooney a en tout cas réussi l'une de ses missions. Et il est parvenu à faire converger business et philanthropie comme nulle autre star ne l'avait fait avant lui.

Cap sur les États-Unis !

Après des années à se dévouer au Darfour, l'acteur semble vouloir diversifier ses combats, en Syrie notamment. Mais en ce moment, c'est évidemment aussi aux États-Unis – élection présidentielle oblige – qu'il s'investit. Pour contrer la tornade Trump, il a ainsi placé ses espoirs dans la candidature la plus plausible pour le camp démocrate. « *J'adore Bernie Sanders et je suis ravi qu'il soit dans la course*, expliquait-il début mars 2016 au *Guardian*. *Mais je soutiens Hillary. Je vais organiser un gala pour récolter des fonds.* » Le 15 avril, à San Francisco, les donateurs pouvaient ainsi dîner avec George et Hillary pour la modique somme de 353 000 dollars par couple ! Un geste qualifié d'« *obscène* » par le très à gauche Bernie Sanders. Mais sur ce point, l'acteur ne lui donne pas tort. « *C'est ridicule qu'il y ait de telles sommes d'argent en politique* », concédait-il le 17 avril sur le plateau de l'émission de NBC *Meet the Press*. Lors de ce même entretien, il dénoncera d'ailleurs la corruption de certaines élites.

Reste à savoir si, un jour, George Clooney va enfin franchir le Rubicon, pour viser le haut de l'affiche politique. Lui dont le salon est décoré de cravates de JFK encadrées, va-t-il longtemps résister à l'appel de l'estrade ? N'a-t-il pas envie de jouer à son tour l'« *entertainer in chief* » ? Il pourrait en quelque sorte reprendre le flambeau de son ami Barack Obama, qui a personnalisé à l'extrême la pratique du pouvoir. Pendant ses huit ans à la tête du pays, il ne s'est rien interdit. Qu'il s'agisse de pousser la chansonnette avec Usher et Demi Lovato, ou d'enchaîner les sketches sur les plateaux de talk-shows. « *Il n'a pas mis longtemps à se démarquer comme la plus grande superstar à avoir jamais occupé la*

Maison-Blanche, explique le journaliste Kenneth T. Walsh dans un ouvrage sur la starisation des présidents américains[1]. «*Il a amené le concept de "célébrité en chef" au plus haut niveau, en exploitant sa notoriété pour améliorer son image et servir sa politique.*» Des notions que l'acteur maîtrise à la perfection !

Pourtant, depuis des années, il affirme ne pas vouloir exercer de fonction élective, tout en soulignant combien «*il croit dans le processus politique*». Il faut dire qu'avec ou sans mandat, son influence est réelle dans la sphère diplomatique ! En revanche, dans son entourage, on se montre plus ouvert quant à un avenir à Washington. «*Maintenant qu'il se marie, il va se présenter, c'est sûr,* aurait déclaré Starla Clooney, sa tante, en 2014 au *Daily Mail. Cela va le faire paraître plus sérieux.*» Et en la matière, il est certain qu'Amal Alamuddin coche toutes les cases d'une First Lady…

---

1. Kenneth T. Walsh, *Celebrity in Chief*, Routledge, 2015.

VIII

L'ÉNIGME AMAL ALAMUDDIN

« C'est une personne incroyable.
L'un des êtres les plus intelligents que je connaisse. »

George Clooney

Qui est Amal Alamuddin ? Depuis son entrée dans la vie de George Clooney, à l'automne 2013, tout le monde se le demande. Et malgré son ultra-médiatisation, le couple n'a cessé d'intriguer. Il faut dire que cette brillante avocate des droits de l'homme tranche singulièrement avec les ex de l'acteur. En outre, derrière son CV parfait, son physique à mi-chemin entre Anne Hathaway et Rania de Jordanie, et son intelligence à la Michelle Obama, elle est beaucoup moins lisse qu'il n'y paraît.

Qui est réellement cette philanthrope en Louboutin ? Qui se cache derrière ce cliché glossy ? Il est temps de se pencher sur la vie d'Amal Alamuddin pour le découvrir.

Une enfance romanesque

Si désormais elle partage son temps entre Londres et Los Angeles, c'est loin de ces deux villes qu'a débuté l'histoire d'Amal Alamuddin. Elle naît en effet à Beyrouth, le 3 février 1978. Elle y passera deux ans (ou quatre, à en croire certaines déclarations de sa mère), mais au début des années quatre-vingt, sa famille fuit le Liban et la guerre pour s'installer en Angleterre. Un déracinement initial qui n'empêchera pas Amal, sa sœur Tala, et leurs demi-frères Samer et Ziad (du premier mariage de leur père) de connaître une enfance extrêmement privilégiée. Leur nouvelle vie s'ancre bientôt à Gerrards Cross, un village très chic du Buckinghamshire, où les maisons coûtent en moyenne aujourd'hui un million et demi d'euros. Les Alamuddin y mènent une vie agréable, loin des images qu'évoquent ces temps-ci les mouvements migratoires. Amal vient en effet d'un puissant clan druze – une branche de l'ismaélisme – établi dans les montagnes du Chouf. Ses jeunes années ont été biberonnées à la politique internationale, au sein d'un milieu fortuné, lettré et très connecté.

L'un de ses grands-pères était ministre, et l'autre, médecin et directeur de l'Hôpital universitaire américain de Beyrouth. Ses parents, aujourd'hui séparés, ont également occupé des positions sociales enviables. Son père, Ramzi, maintenant retraité, a été vice-président et professeur de sciences commerciales à l'Université américaine de Beyrouth. Une institution dont la grand-mère d'Amal aurait d'ailleurs été la première femme à sortir diplômée ! Ramzi est également un entrepreneur, qui a créé l'agence de voyages Comet. Cet homme très instruit rencontre sa future femme en boîte de nuit, et il est immédiatement conquis.

Surnommée la « Liz Taylor du Liban », Baria Miknas a un charme envoûtant. Elle a même inspiré au poète Saïd Akl un texte vantant sa « *beauté grecque* », à laquelle elle refuse pourtant d'être réduite. Elle mène ainsi sa carrière tambour battant, exactement comme le fera sa fille plus tard. Aujourd'hui journaliste pour le quotidien arabophone *Al-Hayat*, souvent contesté pour son orientation pro-américaine, elle a aussi travaillé un temps à la télévision libanaise. Elle s'y est fait connaître pour ses interviews de Bill Clinton, Fidel Castro, Hussein de Jordanie ou Indira Gandhi. Mais actuellement, c'est sur les plateaux du monde entier – de la BBC à CNN et Al Jazeera – qu'elle est fréquemment interrogée, après s'être imposée comme une spécialiste du monde arabe. En 2004, elle devenait d'ailleurs présidente de l'International Arab Charity, une association caritative londonienne qui œuvre pour le Moyen-Orient. « *Je suis la voix des musulmans modérés, qui sont rejetés dans cette guerre contre le terrorisme* », dira un jour celle qui était une amie de

Yasser Arafat. Sa détermination professionnelle rappelle celle d'un certain Nick Clooney! Comme le père de George, elle est journaliste. Comme lui, elle est très engagée. Comme il l'a fait avec son fils, Baria a beaucoup influencé Amal dans sa carrière et ses combats. Mais, plus important encore, elle a également appris à l'avocate à maîtriser son image et à comprendre le jeu médiatique.

En matière de communication, la mère d'Amal s'y connaît en effet. Contrairement à son ex-mari, reparti au Liban en 1991, elle est restée en Angleterre. Mais elle ne s'est pas contentée de jouer les éditorialistes. Avec la journaliste britannique Alison Bell, elle a fondé International Communication Experts, une société de relations publiques spécialisée dans l'événementiel et le média-training. Le monde des people n'a en outre aucun secret pour elle, son agence étant étroitement liée à Celebrities Worldwide, une entreprise qui permet de réserver une star le temps d'un tapis rouge ou d'une opération publicitaire. Une maîtrise dont elle pourra plus tard faire profiter sa fille… D'ailleurs, Baria ne fait aucun mystère de sa fierté de compter George Clooney parmi les siens. En mars 2014, elle amusait même nombre d'internautes, en recommandant sur sa page Facebook un article expliquant que l'acteur avait préféré partir en vacances avec Amal plutôt que d'assister aux Oscars où allait triompher *Gravity*. Cette journaliste reconnue se muant en ambassadrice du couple Clooney? Le mélange détonne. Mais l'anecdote prouve qu'avec sa mère à ses côtés, l'avocate a eu accès à un coaching optimisé en matière de *personal branding*! Cette alliance entre sérieux et glamour, entre politique et paillettes va même définir toute son histoire avec l'acteur.

Enfin, on ne saurait parler de la famille d'Amal sans évoquer la figure sulfureuse de son oncle Ziad Takieddine. Cet homme d'affaires franco-libanais a fait fortune grâce à la vente d'armes et son nom a ponctué différentes affaires politico-financières. Parmi les plus marquantes, le dossier Karachi, qui l'avait vu monnayer à prix d'or ses talents d'entremetteur pour vendre des sous-marins français au Pakistan. Ziad Takieddine a aussi été cité dans l'affaire Kadhafi, comme intermédiaire privilégié de la France pour négocier du matériel de guerre avec le régime libyen. La presse a mis en lumière ses liens avec différentes personnalités politiques, tels Nicolas Sarkozy, Claude Guéant, Brice Hortefeux et Jean-François Copé. Bref, cet homme extrêmement décrié deviendra dans les médias l'«*ami encombrant de l'Élysée*». Une ombre qui plane sur le parcours d'Amal Alamuddin, menaçant d'entacher son image parfaite.

Une autre branche de l'arbre généalogique d'Amal aurait aussi pu lui causer quelques soucis. En juillet 2014, son cousin Tarek Miknas épousait la fille d'Ilya Pavlov, un homme d'affaires assassiné en 2003, souvent présenté dans la presse comme un parrain de la mafia bulgare. Loin d'être dérangée par cette parenté, l'avocate des droits de l'homme se rendra au mariage, accompagnée de George Clooney, y jouant même les maîtresses de cérémonie au moment d'unir le jeune couple.

Un parcours sans fautes

Utile ou non à son ascension, l'entourage d'Amal est en tout cas très connecté. Et dans sa famille, la soif de réussite semble héréditaire, ce dont sa scolarité va vite témoigner. Ses parents lui ont choisi un lycée prestigieux, Dr Challoner's, à Little Chalfont dans le Buckinghamshire. C'est ce que l'on appelle, en Angleterre, une « *grammar school* », l'une de ces écoles souvent taxées d'élitisme, dont l'origine remonte au Moyen Âge. Au lycée Dr Challoner's, l'enseignement, réservé aux filles, est strict, et coûte autour de dix-sept mille euros par an. Le prix pour intégrer plus tard un cursus de premier choix ! Elle part d'ailleurs ensuite pour le St Hugh's College, au sein de l'université d'Oxford. Là encore, l'éducation coûte cher : l'institution sera même poursuivie en justice début 2013 pour sa « *sélection par l'argent* ». Mais les frais ne dissuadent pas ses parents, et la jeune femme débute ses études de droit sous les meilleurs auspices.

Amal n'a pas choisi par hasard le St Hugh's College. Il a compté parmi ses étudiants la combattante des droits de l'homme Aung San Suu Kyi, lauréate du prix Nobel de la paix pour sa lutte contre la dictature en Birmanie. « *À Oxford, le surnom d'Amal était "La Juste Cause", car son sujet de conversation préféré était la politique*, se souvient dans le *Post* un ancien camarade. *Étudiante, elle était déjà passionnée par les droits de l'homme. Elle se lançait souvent dans des débats féroces autour de la nécessité pour le Royaume-Uni d'intégrer la Convention européenne des droits de l'homme dans la loi britannique.* » Ces discussions l'intéressent alors beaucoup plus que les soirées étudiantes. « *Elle ne sortait pas beaucoup. Sa vie sociale se cantonnait aux associations universitaires.* » Une attitude qui reste d'ailleurs la sienne à l'université de New York, où elle part en 2001. L'étudiante ne se laisse pas griser par la vie américaine et préfère travailler. Elle décrochera d'ailleurs le Jack J. Katz Memorial Award, pour son excellent niveau en droit du divertissement. Des connaissances qui ne manqueront pas de lui servir dans sa future vie hollywoodienne…

Au-delà de l'enseignement académique, elle cultive aussi son réseau. À cette époque, elle se fait même de puissants alliés au sein de la Cour internationale de justice de La Haye, où elle obtient en 2004 un stage très convoité. Mais elle noue surtout des liens précieux à la Cour d'appel des États-

Unis, où elle travaille pour la juge Sonia Sotomayor. Depuis, celle-ci a atteint le sommet du pouvoir judiciaire, devenant en 2009 l'un des juges de la Cour suprême, sur nomination de Barack Obama. En travaillant avec elle, Amal s'est donc trouvé un mentor rêvé. Par la suite, elle entretiendra ses relations avec cette personnalité puissante, lui présentant même son mari : en avril 2015, les deux femmes se retrouvaient ainsi pour dîner au restaurant new-yorkais Harry Cipriani, avec George Clooney pour guest-star. Ce soir-là, la politique s'était largement invitée à table !

Dès le début de sa carrière, Amal développe donc d'utiles amitiés aux États-Unis. Cette capacité à réseauter semble d'ailleurs inhérente à son caractère. *« Elle est de toutes les soirées importantes,* explique un proche au *Daily Mail. Elle met beaucoup d'assiduité à se faire des relations utiles. »* De quoi apporter la touche finale à son CV, et lui ouvrir toutes les portes. Après avoir obtenu son diplôme, elle entre donc chez Sullivan & Cromwell, un prestigieux cabinet new-yorkais, où elle travaille pendant trois ans. En 2010, Amal Alamuddin revient pourtant en Angleterre. Devenue avocate au barreau londonien, elle entre dans un cabinet de la capitale, Doughty Street Chambers. Le patron, Geoffrey Robertson, l'a embauchée alors qu'elle était venue seulement pour une mission de conseil sur le Liban. *« Cela a dû représenter une baisse de salaire par rapport aux États-Unis,* analyse Alex Aldridge, fondateur du site d'informations juridiques *Legal Cheek*. *Mais le travail y est plus glamour. Dans une grosse boîte comme celle où elle travaillait à New York, peu de femmes deviennent associées.* » Spécialiste du droit international et des droits de l'homme, elle se fait en tout cas très vite remarquer par ses nouveaux employeurs. Ses atouts ? Elle est brillante et parle trois langues, complétant l'anglais par le français et l'arabe. En outre, elle prend très bien la lumière… En 2013, elle est d'ailleurs élue « *l'avocate londonienne la plus sexy* » par *yourbarristerboyfriend. com*. « *Amo, Amas, Amal,* peut-on alors lire sur le site. *Ce sont les trois mots qui viennent à l'esprit lorsque l'on pense à Amal Alamuddin. Elle a atteint l'idéal de la féminité contemporaine : allier une beauté incroyable à une réussite formidable.* » Les deux journalistes à l'origine de ce classement nous ont expliqué leur choix. « *Elle se distinguait par son physique, sa réussite professionnelle et ce côté multiculturel qui lui donne une image de femme du monde sophistiquée* », nous précise l'une d'elles, Natalia Naish[1]. Cette mise en lumière, étonnante pour une avocate des droits de l'homme, n'a pas dû déplaire à la jeune femme. Elle n'a jamais fui les projecteurs… Bien au contraire. « *Il n'y a qu'à voir comment elle gère sa nouvelle célébrité,* poursuit la journaliste. *C'est dans*

---

1. Entretien avec les auteurs, le 19 février 2016.

son caractère : elle n'a jamais baissé le regard face à une caméra. »

Des procès toujours médiatiques

Les caméras, Amal Alamuddin n'a en effet pas attendu de connaître George Clooney pour les apprivoiser. Dans sa carrière, elle a même été abonnée aux missions de conseil prestigieuses – comme son travail à l'ONU, auprès de Kofi Annan au sujet de la Syrie – et aux affaires médiatisées. Ainsi en 2011, elle entreprend de défendre Julian Assange. Le fondateur du site *WikiLeaks* est alors menacé d'extradition vers la Suède, où il est accusé par deux femmes de « viol mineur [1] ». L'affaire passionne les foules car elle intervient juste après la publication par *WikiLeaks* de soixante-dix-sept mille documents confidentiels de l'armée américaine sur la guerre en Afghanistan. Pour beaucoup, le mandat d'arrêt international lancé contre lui n'est qu'un prétexte imaginé par le Pentagone pour l'extrader de Londres vers les États-Unis. De quoi attirer de nombreux micros vers ses avocats, Mlle Alamuddin en tête. Or la brune – héroïne quasi cinématographique avec son trench, ses talons hauts et ses imposantes lunettes noires sur la tête – apparaît éton-

---

1. Les relations sexuelles étaient consenties, mais il aurait retiré son préservatif sans avoir prévenu ses partenaires.

namment sûre d'elle. « *Amal est une amie et une avocate qui a une perspective globale*, se réjouira Assange auprès du *London Evening Standard* en avril 2014. *Elle n'a pas peur d'affronter la corruption du pouvoir ou de se frotter à des affaires politisées.* »

Ce sera d'ailleurs le cas pour ses autres dossiers. Parmi ses faits d'armes ? La défense de Ioulia Tymochenko, l'ex-Premier ministre de l'Ukraine, qui accuse son pays de l'avoir condamnée à sept ans de prison pour des motifs politiques. Un dossier sensible parmi tous ceux dont se chargera Amal, du procès du journaliste emprisonné en Égypte Mohamed Fahmy à la reconnaissance du génocide arménien. Mais en 2015, son cabinet défend aussi des accusés dont son oncle Ziad Takieddine connaît les noms : Saïf al-Islam Kadhafi et Abdallah Senoussi, le fils de Mouammar Kadhafi et son responsable de la sécurité intérieure, condamnés à mort en Libye. Amal s'occupera personnellement d'Abdallah Senoussi, luttant pour que la peine capitale lui soit évitée. Des affaires très controversées, dont l'avocate ne parlera pas dans les médias. Une façon peut-être de ne pas avoir à répondre à des questions gênantes.

Cette même année, elle préfère capter l'attention à travers une cause plus flatteuse : sa demande de libération de Mohamed Nasheed. L'ancien président des Maldives vient d'être condamné à treize ans de prison pour « terrorisme ».

Trois ans plus tôt, il a été renversé par un coup d'État, puis battu à la présidentielle. Et son procès – «arbitraire» selon l'ONU – aurait été instrumentalisé par le régime autoritaire de son successeur, Abdulla Yameen Abdul Gayoom. «*Les Maldives sont un petit pays qui détient le record mondial de recrues de l'État islamique par habitant. L'archipel était pourtant sur la voie de la démocratie mais le vent a tourné*», explique Amal. Mme Clooney associée au «Mandela des Maldives», comme on surnomme Mohamed Nasheed: l'affiche affole les journalistes dans le monde entier. Une fièvre dont la brune n'hésite pas à jouer, se rendant par exemple sur l'île de Maafushi, pour rencontrer son client et faire quelques déclarations ultra-relayées. Mais l'intérêt est en outre renforcé par la présence dans le camp adverse d'une autre reine des médias: Cherie Blair, figure du barreau et accessoirement épouse de l'ex-Premier ministre britannique. Amal *vs* Cherie: la bataille d'influence est lancée, et elle se mènera face caméra.

Une ascension trop fulgurante?

Un palmarès incroyable pour cette avocate de trente-huit ans, toujours considérée comme «Junior» au sein de son cabinet. Serait-ce l'effet de cet «*esprit digne d'une Rolls-Royce*», vanté par un proche collègue auprès du *London Evening Standard* en avril 2014? Pas seulement.

« *Elle se place sur tous les dossiers importants et sexy,* analyse le journaliste Alex Aldridge. *Grâce à ses débuts aux États-Unis, elle a une carrière étonnante. Elle s'y est fait de bons contacts. Elle planifie sa vie de main de maître, en se construisant un solide carnet d'adresses.* » Un côté stratège que passent en revanche sous silence ses proches, qui préfèrent vanter son sérieux. « *C'est une avocate brillante et passionnée qui travaille énormément à améliorer les droits de l'homme. Elle est respectée et admirée par ses collègues*[1] », avance son patron, Geoffrey Robertson. « *C'est l'une des premières personnes que j'appellerais en cas de dilemme professionnel*[2] », renchérit Philippa Webb, avec qui elle a travaillé à la Cour internationale de justice de La Haye.

Mais si Amal Alamuddin a pu très vite s'emparer de dossiers exposés, malgré sa relative inexpérience, c'est bien sûr aussi grâce à sa médiatisation. Des paramètres qu'elle sait parfaitement utiliser à son avantage. En plein procès du journaliste égyptien Mohamed Fahmy, elle n'hésite pas à publier une tribune, « Anatomie d'un procès injuste », sur le site du *Huffington Post*. De même, quand vient le moment de défendre Ioulia Tymochenko, elle le fait sur un plateau de la BBC. À croire que l'enseignement de sa mère

---

1. Entretien accordé au *London Evening Standard*, avril 2014.
2. *Ibid.*

– mi-journaliste, mi-experte en relations publiques – a payé. Une Baria Alamuddin qui se dit «*immensément fière des succès académiques et professionnels d'Amal, et de sa contribution à la justice et à l'humanité dans le monde*». Tout simplement. Voilà une ascension dont elle peut s'attribuer quelques mérites, au moins sur le terrain de la communication. Néanmoins, pour atteindre un stade supérieur dans sa carrière, il fallait à Amal un autre élément qui dope sa réputation. Un rayonnement que va lui offrir George Clooney, en entrant dans sa vie.

IX

COMME UN CONTE DE FÉES

« J'ai enfin une super-partenaire. »

George Clooney

« Me remarier ? Jamais ! » Pendant vingt et un ans, George Clooney l'a répété à qui voulait l'entendre. Vingt et un ans à expliquer que son divorce d'avec Talia Balsam, en 1993, lui avait laissé une sévère phobie de l'engagement. Il resterait donc libre, envers et contre toutes ! Mais le 27 septembre 2014, l'acteur offrait à ses proches, et aux photographes, des noces somptueuses en Italie. Une vraie surprise : un an auparavant, personne ne s'intéressait à Amal Alamuddin. Pas même son futur époux, qui ne la connaissait pas encore !

Car entre l'acteur et l'avocate, tout est allé très vite. Et sept mois avant de se dire « oui », ils démentaient encore être ensemble. Mais à entendre George, un coup de foudre a ébranlé toutes ses convictions. À moins bien sûr qu'il ne s'agisse aussi d'une union très opportune. La romance serait-elle donc romancée ? Certains éléments le laissent penser.

Une rencontre qui tombe à pic

Septembre 2013. George Clooney est à Laglio, en Italie, pour passer quelques jours de vacances. Sa relation avec Stacy Keibler s'est étiolée. La blonde a des envies de maternité et après deux ans passés ensemble, le cycle amoureux rituel de l'acteur semble de toute façon toucher à sa fin. C'est à ce moment-là qu'Amal Alamuddin serait entrée dans sa vie, lors d'un gala de charité. *« Nous nous sommes connus au lac de Côme*, expliquera-t-il au *Daily Mail* en mai 2015. *C'était l'amie d'un ami. »* Stacy Keibler faisait-elle encore partie du tableau au moment de leur rencontre ? L'attaché de presse de George Clooney dément, contrairement aux proches de la catcheuse. *« Bien sûr qu'ils étaient toujours ensemble à l'époque ! »* affirme une source au *National Enquirer*.

Libre ou non, George est en tout cas convaincu par les arguments de l'avocate, et notamment par son parcours tellement différent de celui de ses ex. *« Elle est une super-partenaire de vie, et je ne pensais pas que je pourrais un jour trouver cela. Cela ne fait aucun doute qu'elle est plus intelli-*

gente que moi et j'en suis ravi. Elle est brillante[1] », poursuit-il.
Un discours assez éloigné de son positionnement habituel,
lui qui semblait jusque-là ne choisir que des femmes qui ne
le concurrençaient pas trop. À croire que l'acteur a évolué…
Ou qu'il est décidé à ouvrir une nouvelle page de son existence. « *Dès notre rencontre, l'idée de passer ma vie avec elle a
été la chose la plus importante pour moi. […] Je l'ai poursuivie pendant des mois, à l'appeler et à lui écrire…* »

George Clooney en preux chevalier, faisant une cour assi-
due à une femme qui repousse ses avances ? L'image laisse
un peu perplexe. Mais son entourage va se ruer dans les
médias pour confirmer cette version. « *Lorsque leur ami
commun* [on ne saura jamais son nom] *les a présentés, ils ont
commencé à parler, puis Amal a fait l'impensable*, raconte un
proche[2]. *Elle a tourné les talons et s'est éloignée. Ça a vraiment
intrigué George. Il s'est ensuite incrusté dans un groupe avec
lequel elle échangeait. Mais Amal n'était pas impressionnée.* »
Selon la suite du récit, elle refusera même de lui donner son
numéro à la fin de la soirée. Pire : quand il l'appelle le lendemain matin – sans numéro donc mais nous pardonnerons
cette petite incohérence narrative au clan Clooney – pour
l'inviter à dîner, elle lui oppose un refus. « *Il était absolument*

---

1. Entretien accordé au *Daily Mail*, mai 2015.
2. Cité par le site people *Radar Online*, avril 2014.

choqué. Personne ne refuse de sortir avec George. » Elle aurait même décliné une seconde fois, d'après ses proches, et serait restée insensible à un mail au contenu explicite : « *Je pense que l'homme soi-disant le plus* hot *du monde et l'avocate la plus sexy de la planète devraient se retrouver* », aurait-il écrit, selon le *Mirror*. Mais il lui reste encore une carte à jouer : le Darfour. « *Il a finalement réussi à la convaincre en lui proposant de discuter de son travail humanitaire. Amal a alors réalisé qu'il était beaucoup plus qu'un acteur*[1]. »

Des intérêts communs

La politique internationale, l'humanitaire, la situation au Proche-Orient... entre eux, les sujets de conversation sont nombreux. Comme George, l'avocate se sent chez elle à l'ONU. Et si l'on imaginait une Elisabetta Canalis un peu empruntée face à l'ami de l'acteur Kofi Annan, Amal, elle, a travaillé avec le secrétaire général de l'ONU. Le comédien se réjouit de partager autant avec elle. La preuve : outre ses amis, ses équipes soulignent également le caractère intellectuel de leur relation. Quelques semaines après leur rencontre en Italie, lorsqu'ils sont aperçus dans un restaurant londonien, l'attaché de presse de la star s'empresse de déclarer qu'ils étaient simplement en train de discuter du

---

1. *Ibid.*

programme de surveillance satellitaire imaginé par Clooney. Dès le début, leur association sera politique ou ne sera pas.

Le choix de leur première vraie sortie ensemble le prouve d'ailleurs bien. Le 18 février 2014, leur relation n'est pas encore officielle. Mais l'acteur convie Amal à une projection privée de *Monuments Men*. Le lieu : la Maison-Blanche ! L'avocate de l'ennemi de l'Amérique, Julian Assange, à la table présidentielle ? La scène est incongrue. Pourtant, Amal s'inscrit alors comme une partenaire de choix pour le très politisé George Clooney. Ce sera également l'occasion pour elle de faire plus ample connaissance avec deux autres invités de l'acteur, Nick et Nina Clooney, dont on a pu mesurer l'influence dans ses choix de vie... Amal adoubée par le père et mentor de George, dans ce lieu qui a toujours été un phare pour le clan : la symbolique est extrêmement forte. Sans compter que la Maison-Blanche est sans doute un endroit où George n'a pas envie de faire son entrée sans femme à son bras, même pour une soirée. Il n'y aurait néanmoins jamais imposé les starlettes qui peuplaient jusqu'alors son tableau de chasse. Mais ce soir-là, il est accompagné d'une First Lady toute trouvée : Amal et George font donc leurs premiers pas à Washington ensemble, comme une équipe soudée.

Dès lors, Amal sera d'ailleurs souvent comparée à sa consœur avocate Michelle Obama. Ses looks sont par exemple scrutés comme ceux d'une femme de chef d'État, loin des commentaires plus légers que susciterait une célébrité quelconque. Ainsi, en mai 2015, son choix de porter deux robes John Galliano à quelques jours d'intervalle était largement décrié sur Internet. « *Certains estiment qu'il est inapproprié pour elle de travailler avec un designer qui s'est rendu coupable de remarques antisémites*, pouvait-on alors lire dans un article de *Yahoo Style*. *Du fait des positions politiques portées par son couple, nous attendons un certain degré de sensibilité et de jugeote de la part d'Amal, comme c'est le cas pour Michelle Obama ou Kate Middleton.* » Kate, dont elle emprunte d'ailleurs les designers fétiches, comme Sarah Burton, d'Alexander McQueen, qui avait dessiné la robe de mariée de la princesse. Les tenues très « Première dame » d'Amal sont depuis analysées de près par nombre de magazines. Un enjeu dont George serait même conscient, la guidant dans ses achats ! « *Il est très impliqué dans la définition de son style et la conseille*, avançait une source dans les colonnes de *Us Weekly*, en avril 2015. *Il a installé dans leur dressing d'immenses miroirs et un éclairage dernier cri pour qu'elle soit toujours parfaite.* » L'acteur connaît l'importance du costume et il va en faire profiter sa compagne. Gageons pourtant qu'un tel soin vestimentaire n'est pas la norme au sein du barreau londonien, et que les collègues d'Amal pensent un peu moins à ce qu'elles enfilent sous leur robe d'avocate !

Une officialisation express

Une carrière brillante et une présentation parfaite : avec de telles qualités, Amal avait tout pour convenir à George. Du coup, il n'hésite pas à la demander en mariage en avril 2014, après six mois seulement de relation. *« Je ne cherchais pas à me marier, explique-t-il au Daily Mail. Mais j'ai rencontré quelqu'un avec qui je voulais passer ma vie. J'espérais juste qu'elle ressente la même chose. J'étais très nerveux en lui demandant de m'épouser, parce que nous n'en avions jamais parlé, et elle aurait pu me trouver fou*[1]. » Et l'acteur de resservir sa tirade virile et romanesque : celle du prétendant qui s'obstine malgré tous les obstacles. Car à en croire le récit que George aime à faire, l'avocate a tardé à accepter sa bague de fiançailles. Pour cette demande, il a pourtant mis le paquet, avec un diamant de sept carats, estimé à sept cent cinquante mille dollars, et une petite mise en scène maison. Les ingrédients : un dîner préparé par ses soins dans sa maison de Los Angeles, et un fond sonore étudié, avec la chanson « Why Shouldn't I » de sa tante Rosemary comme signal pour poser sa question décisive.

---

1. Entretien accordé au *Daily Mail*, le 14 mai 2015.

« *Tout était prêt, chorégraphié, la chanson arrivait. Mais à ce moment précis, elle se lève pour faire la vaisselle, ce qu'elle ne fait jamais*, racontait-il début 2016 sur le plateau d'Ellen DeGeneres. *Je lui dis alors que j'ai éteint une bougie et qu'il y a un briquet dans la boîte derrière elle. Elle l'ouvre et trouve une bague qu'elle regarde en me disant : "C'est une bague", comme si quelqu'un d'autre l'avait laissée là. [...] Son regard passe de la bague à moi, et ainsi de suite. Grâce à ma playlist, nous savons que tout cela a duré vingt-cinq minutes ! Vingt-cinq minutes ! J'ai fini par lui dire que j'avais besoin d'une réponse, car à cinquante-deux ans, j'allais me faire mal à la hanche à force de rester genou à terre. Elle m'a donc dit "oui".* » Un récit efficace de ce moment intime, qu'Ellen DeGeneres accueille ce jour-là à grands cris, le qualifiant de « *très belle histoire* ». Mais il faut dire que George le communicant l'a déjà servi sur d'autres plateaux. En mai 2015, le journaliste Charlie Rose avait ainsi eu droit au même monologue, des longues minutes genou au sol (à l'époque, elles se montaient à vingt-huit) à la blague sur sa vieille hanche fragile. À croire que lorsqu'un scénario est bien ficelé, il doit être offert au plus grand nombre…

Du côté d'Amal, la narration est en revanche beaucoup plus succincte. Dans le couple, les rôles médiatiques sont bien définis et l'avocate des causes perdues ne courra pas les plateaux de talk-shows. Jae King – qu'elle a connue pendant ses études et qui est aujourd'hui l'une des seules amies qu'on lui connaisse – se remémorera pour elle ses premiers mois avec la star. « *Je me souviens d'une nuit que nous avions passée à parler de ses relations*, racontait-elle[1]. *Nous nous demandions alors si elle rencontrerait quelqu'un.* » La conversation en question date de 2013 : elle vient d'être élue sur Internet « *l'avocate londonienne la plus sexy* » et son amie craint que cela ne la desserve, « *puisque la plupart des hommes la pensaient déjà intimidante* ». D'autant qu'Amal a pas mal d'exigences, toujours selon son amie. « *Une seule personne ne pouvait vraisemblablement pas satisfaire tous ses critères. Elle recherchait Monsieur Parfait et ne le trouvait pas.* » Jusqu'à ce qu'elle tombe sur notre gentleman-séducteur. Mais là encore, le synopsis comporte un rebondissement capable de relancer l'intrigue. « *Je dois avouer que cela a causé chez moi une panique maternelle. Allait-elle être blessée ? Ce n'était pas vraiment Monsieur Engagement. Mais dans sa façon de la traiter, on peut voir que son cœur est grand et qu'il ne bat que pour elle.* » Twist comico-mignon : la rencontre aurait même eu un double effet pour l'avocate : « *Elle s'est arrêtée de fumer d'un coup d'un seul.* [...] *Et elle est désormais à l'heure.* » Bref, « *rien de moins qu'un conte de fées* »,

---

1. Dans le discours qu'elle fit au mariage de George et Amal.

soigneusement retranscrit par les équipes de George, et livré aux médias pour leur plus grand plaisir.

Des noces princières

Le jour J, 27 septembre 2014, sera d'ailleurs à l'avenant. En cinq mois, le couple prévoit un mariage à Venise, que Tatiana Byron, une wedding planneuse spécialisée dans les unions de stars, estime à onze millions d'euros ! « *Nous sommes tous deux tellement heureux de vous avoir avec nous. Vous avez parcouru un long chemin, et nous allons donc faire en sorte que cela en vaille le coup.* » Voilà le mot que trouvent leurs cent cinq invités, en ouvrant le sac de cadeaux qui les attend dans leur chambre d'hôtel – une attention inspirée du fameux « *gift bag* » remis aux stars des Oscars. Or la promesse faite par le couple à leurs hôtes sera tenue ! Si les invités ne déboursent pas un centime, George et Amal, eux, n'ont pas regardé à la dépense pour les trois jours que durent leurs noces. À commencer par les billets d'avion offerts aux invités, principalement venus du Liban ou des États-Unis, pour un total de 300 000 euros. Autre poste de dépense important : l'hébergement. Vingt-quatre suites ont été réservées au Aman Canal Grande Venice, un palace vieux de quatre cent cinquante ans, pour 53 000 euros par nuit. Viennent ensuite les quatre cents portiers et gardes du corps chargés d'assurer la sécurité du mariage ; la flotte de bateaux à moteur à soixante euros l'heure mobilisée pour parader sur les canaux vénitiens ; et un banquet raffiné à base de homard et de risotto au citron. Sans oublier bien sûr les menus détails, comme l'iPod et les enceintes offerts à chacun pour savourer la playlist concoctée par les mariés. Voire même les téléphones sans caméra remis à tous contre leurs smartphones. En contrepartie, les invités héritaient d'un appareil photo à signature digitale, pour assurer le traçage des images qui fuiteraient. Que les choses soient claires : autour de ce mariage, on n'autorise aucune communication non officielle.

Une scénographie parfaite

Cette interdiction n'empêchera pas les fans de l'acteur de vivre les noces comme s'ils y étaient. Au lendemain de son mariage, George a en effet vendu les photos aux enchères. Pour le marché américain, c'est l'institutionnel *People* qui décroche la timbale. Côté européen, l'anglais *Hello !* met la main au portefeuille. Un peu plus tard, *Vanity Fair Italie* sortira aussi sa propre couverture de l'événement, avec pas moins de trente pages de photos inédites. Le montant total de ces ventes ? On ne le connaît pas précisément, mais une opération de ce genre est estimée à plusieurs millions d'euros. Quelques semaines plus tôt, on avait ainsi rapporté que Brad Pitt et Angelina Jolie avaient cédé leurs photos de mariage aux mêmes *People* et de *Hello!* pour quatre millions et demi d'euros. Une certitude en revanche : George a demandé que les bénéfices soient reversés à différentes associations, dont son « Satellite Sentinel Project ». *« Chaque photo imprimée dans ces deux magazines sauvera une vie ! »* s'enthousiasme un proche de la star auprès du site *TMZ*. Au-delà de la dimension humanitaire, l'initiative réjouira aussi ses admirateurs.

Les fans n'ont cependant pas eu à attendre les sorties de *People* et de *Hello!* pour avoir un aperçu de la noce. Car ils ont pu en suivre une partie en direct sur les sites d'infos. George et Amal saluant la foule devant l'hôtel de ville ; George et Amal voguant sur le Grand Canal, enlacés dans un bateau du nom d'*Amore*… Les centaines de photographes venus pour l'occasion n'ont pas regretté le déplacement, abreuvant les médias de séquences « live » de l'événement, conçu comme un véritable film. De ce point de vue, l'utilisation de *taxi boats* pour transporter le couple et leurs amis pendant les trois jours est un coup de génie. Cela permettra de donner à voir sans tout dévoiler, de montrer les invités dans leurs plus beaux atours sans le côté figé de photos posées. Bref, de susciter l'intérêt tout en conservant une part de mystère, avant la communication encore plus officielle qu'offriront les deux magazines partenaires.

Une esthétique digne d'épousailles royales, rappelant par exemple celles de Kate et William. Les comparaisons vont d'ailleurs être légion entre les deux unions. De nombreux sites s'empareront même des photos de Tala, la jeune et jolie sœur d'Amal, pour en faire la nouvelle Pippa Middleton. D'autres souligneront la ressemblance de l'avocate avec Kate – il est vrai qu'elles partagent une extrême minceur, comme d'ailleurs d'autres princesses des médias, telles Rania de Jordanie et Letizia d'Espagne. Natalia Naish, l'une des journalistes qui avaient désigné Amal comme *« l'avocate londonienne la plus sexy »*, préfère néanmoins dresser un parallèle entre le mariage Clooney et celui de Kim Kardashian et Kanye West. Que ce soit dans la débauche de moyens comme dans la mise en scène très étudiée. *« Mais pourtant, ils n'ont essuyé aucune des critiques adressées à Kim Kardashian, nous explique-t-elle. Pourquoi ? Parce qu'elle incarne la vacuité, alors que George est perçu comme un philanthrope sophistiqué. Mais il n'empêche que son mariage est un véritable film hollywoodien. Hors de prix, précisément chorégraphié, extrêmement public, et d'un romantisme affecté. Le choix même de Venise entre dans cette logique*[1]*. »*

---

1. Entretien accordé au site *Legal Cheek*, octobre 2014.

Une surenchère à laquelle la star ne nous avait pas habitués. De plus, le cirque médiatique tranche ce jour-là avec la tendance matrimoniale du moment à Hollywood, plutôt à l'extrême discrétion. Difficile en effet de ne pas comparer le mariage de George à celui de son grand ami Brad Pitt, à seulement un mois d'intervalle. Le 23 août 2014, il disait « oui » à Angelina Jolie dans leur propriété varoise de Miraval. Le tout, après neuf ans d'amour, devant une vingtaine d'invités (dont leurs nombreux enfants) et dans le plus grand des secrets. De même, l'été suivant, Jennifer Aniston s'unissait à son boyfriend depuis quatre ans, Justin Theroux, dans leur maison de Los Angeles, devant des amis triés sur le volet qui pensaient seulement venir à la fête d'anniversaire de l'acteur. Que dire enfin de Mila Kunis et Ashton Kutcher, dont on sait simplement qu'ils sont mari et femme depuis 2015, sans que rien n'ait fuité à propos de la cérémonie ! Depuis quelques années, les paparazzis sont donc tenus soigneusement éloignés des mariages VIP. Mais ce moment d'intimité, George Clooney n'avait aucune envie de le garder pour lui.

Des absences très remarquées

Un spectacle qui fera en tout cas son effet. Sur les réseaux sociaux, les commentaires sur le mariage « Alamooney » affluent. D'autant que du beau monde a été convié ! Parmi la centaine d'invités, des stars comme Cindy Crawford et Rande Gerber, Matt Damon et sa femme Luciana Barroso, John Krasinski et Emily Blunt, Bono, Ellen Barkin, Bill Murray et Anna Wintour. Une affiche cinq étoiles que viennent bien sûr compléter les Boys de l'acteur. Mais l'absence de deux couples très proches de George Clooney va faire jaser : Ben Affleck et Jennifer Garner, mais surtout Brad Pitt et Angelina Jolie, officiellement tous pris par des obligations professionnelles. La raison ne convainc néanmoins pas les médias, qui évoquent alors une nouvelle fois les tensions supposées entre Amal et certains amis de George. Avec Angelina Jolie, l'ambiance serait ainsi électrique, depuis déjà de longues semaines.

Juin 2014, Londres. Dans la capitale britannique, se tient le Global Summit to End Sexual Violence in Conflict, un sommet contre les violences sexuelles dans les pays en guerre. Angelina y assiste, tout comme Amal. Mais elles vont s'ignorer, ce que les observateurs ne manquent pas de noter. Des relations qui, depuis, ne se seraient visiblement pas réchauffées. Entre ces deux pasionarias des droits de l'homme, les discussions devraient pourtant couler, mais elles ne se sont jamais montrées très amicales l'une envers l'autre. Comme l'expliquait alors une source au site *Radar Online*, « *Angie pense qu'Amal est prétentieuse, et Amal trouve qu'Angie est une imposture* ».

Ces dissensions sont sans doute exagérées par les tabloïds américains. Mais elles rappellent les disputes évoquées dans la presse entre Amal et Julia Roberts, que les manières de l'avocate sur le tournage de *Money Monster* auraient agacée. Tout comme son mépris supposé envers les Boys de la star. Mais, pire encore, Amal n'aurait pas beaucoup d'affinités avec les incontournables Cindy Crawford et Rande Gerber. *« Elle est tellement différente de Cindy ! Tout ce qui intéresse Amal, c'est la politique. Si vous ne lui parlez pas de politique étrangère, elle vous ignore »*, affirmait une source au magazine *Star* en octobre 2015. Quant à Rande, elle le considérerait comme un *« ado attardé »*. En février 2015, elle n'appréciait donc que modérément de devoir fêter ses trente-sept ans à quatre. *« Pour George, une soirée romantique inclut du vin, des chandelles, de la musique douce, mais aussi Cindy Crawford et Rande Gerber ! Le problème, c'est qu'Amal trouve que Rande est un beauf, qui encourage George à boire*[1]. » Son extrême proximité avec l'acteur lui pèserait-elle aussi ? Peut-être. Ce qui est indéniable, c'est que les soirées tequila des deux associés de Casamigos ne sont pas sa tasse de thé. *« Vous savez, j'ai rarement bu un verre avec elle »*, avouait au *Telegraph* Monsieur Crawford en octobre 2015. Quelques semaines plus tôt, c'est d'ailleurs en

---

1. Source citée par *OK Magazine*, mars 2015.

tête à tête que les deux hommes s'étaient offert un petit road-trip mexicain, à moto. Ces temps-ci, les vacances dans la double maison de Cabo San Lucas ne sont plus vraiment d'actualité ! En avril 2016, le site *TMZ* révélait que la propriété avait été vendue pour cent millions de dollars à un milliardaire mexicain. On est loin de l'entente parfaite affichée par le quatuor en septembre 2014, sur les canaux vénitiens ! Amal et George, Cindy et Rande : tous adressaient alors de grands sourires aux photographes qui avaient été convoqués en Italie. Mais en privé, l'avocate n'avait sans doute pas forcément envie d'être dans la même galère que les Gerber.

Se séparer de sa maison, moins voir ses copains, se marier sans Brad Pitt ni Ben Affleck… voilà des sacrifices qui doivent peser lourd à l'acteur, et reflètent certaines différences fondamentales entre George et Amal. Si l'amitié a toujours été un moteur pour lui, l'entourage de la brune semble surtout composé de collègues. Parmi eux, l'avocat des droits de l'homme Jason McCue et sa femme Mariella Frostrup, une journaliste britannique que l'on avait brièvement dite en couple avec George Clooney en 2002 ! La coïncidence mettrait de nombreuses femmes mal à l'aise mais pas Amal, qui semble exempte de jalousie. D'ailleurs, Mariella Frostrup ne serait pas la seule de ses proches à avoir intéressé George. L'auteur Kathy Lette, épouse du patron d'Amal Geoffrey Robertson, racontait aussi qu'il l'avait draguée dans sa jeunesse. « *Mon plus grand regret est de n'être jamais sortie avec George. Nous avons travaillé ensemble sur une sitcom à la fin des années quatre-vingt. Il m'a proposé un rencard et j'ai refusé. J'en sanglote encore quand j'y repense*[1]. » Inconfortable ? Pas pour Amal. À croire que son couple n'est résolument pas conventionnel !

Des dissemblances que Nick Clooney lui-même ne pourra s'empêcher de pointer du doigt. « *On vit dans un monde ironique. Et c'est là qu'arrive George, le prince de l'ironie, qui met un genou à terre et demande à la futée Amal de se marier avec lui*, déclarait-il le soir des noces. *Puis, comme si ça, ça n'était pas déjà assez fou, elle a dit "oui" !* » Une folie qui semble pourtant extrêmement maîtrisée. Car derrière les photos glacées, derrière les anecdotes complaisamment livrées aux médias, l'union de George et Amal Clooney s'apparente aussi à un deal gagnant-gagnant. Un mariage qui répond à de très nombreuses raisons.

---

1. Entretien accordé au *Daily Mail*, août 2013.

X

UN MARIAGE GAGNANT-GAGNANT

*« George est l'homme que chaque femme
a envie d'étreindre !»*

Amal Clooney

Il a inspiré cinéastes, photographes et romanciers. Il est devenu un as du business, et a étendu son champ d'action à la politique. Mais qui aurait cru que la star d'*Urgences* puisse marquer de son empreinte le monde de la psychologie ? En 2010, l'université de Dundee, en Écosse, faisait pourtant de l'acteur un sujet d'étude. L'objet de «l'effet George Clooney» ? Montrer que si les hommes riches sont attirés par des partenaires jeunes et belles, les femmes aisées ne fonctionnent pas de la même façon. *«En commençant notre travail, nous pensions que lorsque les femmes gagnaient de l'argent, elles agissaient comme les hommes, et choisissaient des conjoints plus jeunes qu'elles,* expliquait alors Fhionna

Moore, le professeur à l'initiative de l'enquête, dans un communiqué. *Mais non. Plus les femmes sont indépendantes financièrement, plus elles sont attirées par des hommes âgés, qui sont eux aussi accomplis dans leur vie professionnelle.*» Un paradoxe dont les Clooney sont une bonne illustration.

Lorsqu'ils se rencontrent, George a cinquante-deux ans et Amal, trente-cinq. L'avocate est une étoile montante du barreau londonien, et elle est extrêmement courtisée. Mais en sortant avec l'acteur, elle va mesurer l'étendue de ce qu'il peut apporter à une femme. Et cela va bien au-delà de l'argent. Si elle a pu parfois se laisser griser par quelques avantages hollywoodiens, elle ne se voit absolument pas en « Real Housewife de Beverly Hills ». Elle ne compte d'ailleurs pas abandonner son métier. Sauf qu'avec l'incroyable mise en lumière que lui a offerte son mariage, elle pourra propulser sa carrière à un niveau insoupçonné… Quant à George, être un homme « casé » le rend plus légitime dans ses combats publics.

Un échange que l'acteur lui-même résumait au magazine *People* en 2015 : «*Je suis très fier d'être avec quelqu'un que j'admire autant. Je me suis toujours impliqué dans d'autres choses que le cinéma. C'est aussi son cas, même si elle le fait sans le crier sur les toits.*» Grâce à une utilisation rigoureuse des médias, ils vont alors pouvoir construire ensemble une véritable marque. Un label crédible pour agir efficacement dans les deux domaines qui les intéressent : l'humanitaire et la politique.

Ensemble, mais séparés…

« *Nous avons conclu un marché : nous ne devons jamais passer plus d'une semaine séparés* », affirmait George Clooney, interrogé sur les recettes de son bonheur conjugal peu après avoir dit « oui ». Après l'étalage médiatique de leur mariage italien, on s'attendait donc à ce que la parade nuptiale se poursuive. Mais dès leur voyage de noces aux Seychelles – dans le luxueux hôtel où leurs « doubles » couronnés Kate et William avaient aussi passé leur lune de miel –, les belles résolutions volaient en éclats. Quelques jours après leur arrivée, le jeune marié écourtait en effet ses vacances pour assister au Comic-Con, un salon des fans de mangas et bandes dessinées, à New York. « *J'ai reçu un appel qui me disait qu'il était extrêmement important que je vienne* », se justifiait-il quelques mois plus tard sur le plateau du *Graham Norton Show*, sous les rires du public. Certes, il venait de tourner le film de science-fiction *À la poursuite de demain*, mais on peut imaginer que si George Clooney avait demandé à être dispensé de cet engagement, on lui en aurait donné l'autorisation ! « *Quand j'ai dû expliquer ça à ma femme, elle ne l'a pas très bien pris* », ajoutait-il d'ailleurs. Quelques jours plus tard, cette dernière faisait néanmoins exactement le même choix, en s'envolant vers Athènes, pour aider le gouvernement grec à récupérer les frises du Parthénon, exposées au British Museum de Londres. « *Cela montre qu'elle reste indépendante*, résume alors un collègue [1]. *Sa carrière se poursuit après cette interruption mineure.* » « *Interruption mineure* » : une drôle de façon de qualifier le mariage de l'année.

Dès lors, les journaux people ne manqueront pas de lister leurs nombreuses séparations. En février 2015, le magazine *Life & Style* estime ainsi que le duo ne s'est pas vu depuis cinq semaines. Monsieur à Los Angeles, madame à Londres : la distance s'installe et différentes sources avanceront que la situation convient parfaitement à George et à Amal. On est loin de la semaine réglementaire, de ces sept jours que l'acteur se promettait de ne jamais dépasser ! À croire que les ambitions de notre duo ne résident pas dans le quotidien…

Un storytelling parfaitement ficelé

Certes, ils ne se voient que peu pendant de longues périodes. Mais l'acteur a un secret pour donner le change : parler sans cesse de son épouse dans les médias. Leur rencontre, leur histoire, leur mariage… Il ne rate désormais

---

1. Cité par *People*, octobre 2014.

plus une occasion de promouvoir leur couple, sans jamais oublier de préciser combien ils sont proches. Lorsque l'animatrice Ellen DeGeneres l'interroge sur ses fiançailles, il commence par exemple son récit par un « *c'est marrant, on en parlait justement aujourd'hui !* » Une façon de préciser qu'ils étaient bien ensemble le matin même. À un journaliste de la chaîne *E !*, il raconte aussi, l'air de rien, que le voir regarder des matchs tous les week-ends la rend folle. Auprès d'un site australien, il relate leur quotidien en Angleterre (où il a acheté une maison à près de treize millions d'euros), entre sessions décoration, apéros au pub du coin et balades en bateau… Tant pis si ses nouveaux voisins du petit village de Sonning, dans le Berkshire, se répandent dans la presse locale contre leur présence. Ou s'ils critiquent en chœur les travaux monumentaux que les Clooney ont entamés et se mobilisent contre l'installation de caméras de surveillance dans la rue. La situation ne va d'ailleurs pas s'arranger, alors que la star a demandé aux autorités de renforcer la sécurité de son quartier : en cause, les menaces de mort que recevrait Amal, en lien avec sa défense de l'ex-président des Maldives. Mais cet accueil glacial du voisinage, George n'en parlera pas, préférant évoquer leur vie rêvée en Grande-Bretagne. Que ses fans se le disent : il a une vraie vie de couple ! Et faute d'images pour le montrer, il le prouvera en parlant sans arrêt de sa femme.

Une Amal dont l'acteur vante systématiquement l'esprit. « *C'est une femme accomplie qui a sa propre carrière* », dit-il à un micro. « *C'est un être humain incroyable. Elle est atten-tionnée, brillante, drôle* », s'enthousiasme-t-il à un autre. « *Mon épouse est la plus intelligente de nous deux* », plaisante-t-il à un gala de charité. « *Je me contente d'être mignon à ses côtés* », conclut-il à la télé. Si Amal élude les questions sur sa vie privée – qui s'intercaleraient mal entre deux déclarations sur les droits de l'homme –, George porte la bonne parole pour deux.

Puis, quand il ne s'exprime pas sur le sujet, ses amis s'en chargent pour lui, vantant leurs mérites dans les colonnes de *People*. Propriété de Time Warner, le magazine est l'organe privilégié des stars et même des politiques pour diffuser leur communication officielle. Tous l'utilisent pour évoquer leur vie presque privée. Sandra Bullock y a présenté ses deux enfants après les avoir adoptés ; Justin Timberlake et Jessica Biel y ont raconté leur mariage ; les Obama ont ouvert leur maison de Chicago au magazine. Difficile alors de considérer les « confidences » de proches comme des informations spontanées, non validées en amont par les stars. Les articles consacrés aux Clooney en sont d'ailleurs un bon exemple. En juillet 2015, Kathy Lette[1] prenait ainsi

---

1. L'épouse du patron d'Amal.

la parole dans l'hebdomadaire, pour une interview sans nuances. Amal ? « *Elle est d'une beauté à tomber, charmante, drôle, dotée d'autodérision, chaleureuse et les pieds sur terre.* » George ? « *Il débarrasse la table et remplit le lave-vaisselle.* » Leur couple ? « *Ils sont fous l'un de l'autre. Les voir revient à regarder une comédie romantique. Leur romance est digne d'un conte de fées.* » Ce sera tout ? Non. Un mois et demi plus tard, d'autres proches tressent des lauriers à la Britannique, alors en pleine défense de l'ex-président des Maldives. « *Elle fait un travail incroyable, prend d'énormes risques sans être payée. Elle a toujours été comme ça. Elle n'a jamais été motivée par la gloire ou l'argent* », explique une source bienveillante. « *Elle a un sens de l'humour dévastateur* », avance une autre. « *On lui a fait des ponts d'or pour qu'elle arrête sa carrière* », renchérit une troisième, commentant les contrats d'égérie que lui auraient proposés des marques de luxe. « *On lui offre d'être simplement célèbre, belle et stylée. Mais elle n'a pas hésité une seconde. Elle a répondu que cela ne lui correspond pas.* » Un couple devant lequel il ne nous reste alors plus qu'à nous incliner. Avec *People*, le magazine qui a désigné deux fois George Clooney « *L'homme vivant le plus sexy de la planète* », la propagande est assurée.

Amal, star des prétoires, pro du micro

La nouvelle Madame Clooney ne désire donc pas être résumée à son style. Si elle aime le luxe – sa garde-robe le prouve –, elle ne veut surtout pas passer pour trop hollywoodienne. Fin 2015, elle se serait ainsi mise en quête d'une alliance en platine à porter à la place de sa bague de fiançailles à sept cent cinquante mille dollars. Un moyen de démontrer cette simplicité que son entourage ressasse, et de ne surtout pas brouiller son message professionnel. « *Elle veut un bijou moins ostentatoire pour ses procès les plus importants,* racontait une source[1]. *Les gens passent leur temps à l'arrêter pour admirer sa bague. La pierre est massive et ne peut pas se cacher. Elle veut donc quelque chose de plus mesuré pour ses affaires sensibles.* » Elle a beau fouler les tapis rouges, fasciner la presse féminine et copiner avec Anna Wintour, son nouveau statut ne doit pas détourner l'attention de sa défense des droits de l'homme. « *Elle n'est pas une fille de téléréalité,* explique le créateur Giambattista Valli, que la patronne de *Vogue* a présenté à Amal. *Voilà enfin quelqu'un qui a un cerveau et des jambes[2].* » « *Elle est très sérieuse quand il s'agit de son travail,* résume sa nouvelle amie Tina Brown, ex-rédactrice en chef des iconiques

---

1. Citée dans le *Mirror*, novembre 2015.
2. Cité dans le *New York Times*, avril 2015.

magazines *Tatler* et *Vanity Fair*. *Elle n'a pas envie d'être une mondaine*[1]. »

Car Amal Clooney tient à garder le cap de sa carrière. En janvier 2016, sur NBC, elle rappelle que ses combats humanitaires ont d'autres fondements que ceux d'une star à la Angelina Jolie. « *Je trouve merveilleux que des célébrités choisissent d'utiliser leur temps, leur énergie ou leur notoriété pour mettre ces causes en lumière. Mais je ne me vois pas vraiment ainsi, car moi, je continue à faire le même travail qu'avant.* » Une façon, peut-être, de marquer sa supériorité sur celle que l'on désigne comme sa meilleure ennemie… Tout en confirmant sa propre légitimité. Pour elle, la philanthropie n'est pas un « hobby », comme elle l'est pour Angelina.

De la même façon, embrasser une carrière dans les médias ne l'intéresse pas. Elle refusera ainsi d'animer la version américaine de *The Apprentice*, pour laquelle elle était pressentie. Il est d'ailleurs amusant de constater que c'est finalement Arnold Schwarzenegger qui a été choisi pour remplacer Donald Trump à la présentation de l'émission. De la politique au divertissement, du divertissement à la politique : aux États-Unis, la limite est ténue. Les Clooney en sont bien conscients !

---

1. *Ibid.*

The Apprentice lui aurait apporté encore plus de notoriété, mais depuis son mariage avec George, Amal ne joue plus dans la même cour médiatique. Elle veut tirer parti autrement de sa célébrité. Parlant de sa défense de Mohamed Nasheed, elle avouait ainsi sur NBC : « *Je pense que c'est une bonne chose que plus d'attention soit accordée à ce procès – quelle qu'en soit la raison. Il découle une certaine responsabilité [de ma notoriété]. Mais je crois que je l'assume en continuant à choisir ce type d'affaires*[1]. » Son nom ne lui servira pas à devenir une starlette des plateaux mais une icône du barreau. Si elle veut attirer l'attention, c'est plus celle des puissants que du grand public. En décembre 2013, elle fermait par exemple son compte Twitter. Quelques jours avant, George Clooney – grand absent des réseaux sociaux – avait déclaré au magazine *Esquire* qu'il pensait que « *toute personne connue qui est sur Twitter est débile* ». Ajoutant même un cinglant : « *C'est juste stupide.* »

Une sacrée union

L'avocate sait que son nouveau patronyme peut représenter un atout pour son métier. Amal Alamuddin était puissante, mais Amal Clooney est reçue à la Maison-

---

1. Entretien accordé à NBC, janvier 2016.

Blanche et peut s'inviter chez les chefs d'État du monde entier. Tandis que certains attendaient que cette femme très indépendante garde son nom de jeune fille, elle a d'ailleurs choisi d'en changer légalement et professionnellement quelques jours après son mariage. Alors c'est sûr, en août 2015, beaucoup seront outrés en voyant passer un tweet de l'agence Associated Press la désignant comme «*Amal Clooney, la femme de l'acteur*», pour évoquer l'un de ses procès. Mais globalement, son nouveau statut la sert beaucoup plus qu'il ne l'handicape. Le coup de projecteur qu'elle apporte à ses clients est plutôt à leur avantage. Amal ira ainsi plaider la cause de l'ex-président des Maldives auprès de David Cameron puis sur les plateaux d'émissions politiques américaines. Une avocate lambda aurait-elle bénéficié d'une telle exposition ? Non, bien sûr. «*La frénésie et le vacarme médiatique nous sont bénéfiques*, reconnaissait même un membre du gouvernement grec à ce sujet, lors de l'affaire des frises du Parthénon. *Cela attire une attention internationale sur l'injustice qui nous touche.*» «*Quelques avocats se montrent critiques envers sa notoriété, mais médiatiser un procès est important*, analyse quant à lui le journaliste Alex Aldridge. *Sa stratégie consistant à commenter ses procès mais pas sa vie privée est maligne.*»

Son union avec George a donc pu aider les clients d'Amal. Mais elle a également fait avancer sa propre carrière. Au printemps 2015, elle décroche pour quelques mois un poste de professeur invité à la prestigieuse université de Columbia, à New York. *« C'est un honneur de travailler avec des équipes éminentes et un vivier d'étudiants talentueux »*, se réjouit-elle. Un honneur qui, selon certains, ne lui aurait été accordé que pour faire un coup médiatique. Mais nous ne saurons de toute façon rien du contenu de ses enseignements… *« Nous avons reçu l'ordre très strict de ne pas parler d'elle ni de ses cours »*, avoue, sans en dire plus, l'un de ses élèves au *New York Times*[1].

Quant à l'aspect financier de cette nouvelle vie pour Amal, il est difficile à évaluer précisément. Les informations sur leur contrat prénuptial relayées dans la presse étaient d'ailleurs contradictoires. Une chose est sûre : la famille Alamuddin n'avait pas besoin de l'acteur pour vivre. Des sources iront même raconter au magazine *Us Weekly* que les parents de l'avocate ont tenu à payer la quasi-totalité du mariage. Des blogs expliqueront, de leur côté, que son oncle Ziad Takieddine se serait lui-même chargé de la note. En septembre 2014, l'homme avait d'ailleurs demandé la levée de son contrôle judiciaire afin d'assister au mariage de sa nièce. Des assertions très étonnantes, mais qui contribuent en tout cas à imposer l'image d'une femme totalement indé-

---

1. Cité dans le *New York Times*, avril 2015.

pendante. Ainsi que l'expliquait un proche au site *Radar Online* en avril 2014, « *elle ne demande rien à George. Elle a sa propre vie et sa propre carrière, contrairement à ses anciennes petites amies, qui le suppliaient de les aider à percer. Amal lui a tout de suite dit qu'elle n'abandonnerait pas le droit* ». L'acteur ne manquera pas de confirmer, évoquant cette « *personne accomplie qui paye pour la plupart de ses vêtements* », alors même que les marques la courtisent désormais. Cette « *femme qui ne se voit pas comme une célébrité* » n'a donc pas besoin de styliste et ne serait motivée que par sa passion de la justice. Au hasard des interviews, George ajoute même quelques détails qui éclairent la modernité de leur couple, expliquant par exemple que chez eux, c'est lui qui cuisine alors qu'Amal est plus douée pour réserver une table au restaurant... Un discours qui adoucit les rumeurs relayées par les tabloïds américains sur son tempérament trop dépensier. Selon certains, elle dilapiderait en effet des sommes pharaoniques pour s'habiller ou décorer leur maison en Angleterre. Un côté bling-bling raillé aussi à travers ses tenues très étudiées, et son goût pour les robes lamées. Mais ces moqueries prennent peu d'ampleur grâce à une communication habilement orchestrée par les Clooney.

Une communication verrouillée

Neuf millions. Tel est le nombre de résultats que l'on obtient en tapant le nom d'Amal Clooney sur Google. Mais l'information sur l'avocate est pourtant peu variée. D'elle, seuls trois aspects sont globalement relayés sur la Toile : son histoire avec George, sa carrière et ses looks. Mais en dehors de ces données très officielles, on ne trouve pas grand-chose, ni révélations d'anciens camarades de fac, ni clichés de jeunesse embarrassants, ni informations claires sur ses anciens petits amis… Tout juste verra-t-on surgir quelques photos d'une Amal très gaie, avec un certain Xavier Laroche, expert médico-légal à la Cour internationale de La Haye. Puis on lui prêtera une histoire de quelques mois avec Sebastián Mejía Barberena, un économiste colombien. Ce dernier lui aurait été présenté par Antonio de la Rúa, fils de l'ancien président argentin et ex de Shakira, lors d'une fête à New York.

À l'heure des réseaux sociaux, cette pauvreté d'informations est pour le moins étonnante. À l'annonce des fiançailles de George et Amal, les journalistes people auront beau creuser, ils ne trouveront rien de très piquant à raconter sur la future Madame Clooney. Est-ce à dire qu'elle a passé les trente-cinq premières années de sa vie le nez dans ses bouquins de droit ? C'est sûrement exagéré. Et il n'est pas exclu que l'épouse de George ait bénéficié d'un petit nettoyage numérique. Un procédé de plus en plus courant chez les personnalités publiques, comme nous l'a expliqué la directrice d'une agence spécialisée dans la e-réputation [1]. *« Il est très difficile de faire disparaître une information diffusée sur Internet mais il existe plusieurs moyens de la contrôler. On peut tout d'abord contacter les administrateurs de chaque site recensant le contenu en question pour leur demander de le retirer de leur média. En général, cette opération nécessite au moins six mois, ce qui correspond au temps que met en moyenne Google pour balayer les sites et se synchroniser avec eux. Mais il est également possible de "noyer" ou d'"enfouir" une donnée compromettante en générant du contenu positif qui occupera les premières pages des moteurs de recherche. Cela crée une sorte de sas de protection qui repousse les critiques négatives. »* Une option dont sont bien conscients les attachés de presse des stars. Et une fois les mentions négatives chassées très loin, des agences de monitoring suivront leur activité numérique en temps réel, avec la possibilité de la rectifier extrêmement vite en cas de *bad buzz*. *« Il est également important de limiter sa communication à trois ou quatre axes majeurs de travail,* poursuit notre spécialiste de la réputation numérique. *Dans le cas d'Amal Clooney, les valeurs associées sont son sérieux, son élégance, son*

---

1. Entretien avec les auteurs, le 5 février 2016.

indépendance et son éthique. Ce sont des valeurs dans lesquelles la presse féminine se reconnaît et elle s'en est donc fait naturellement le relais. »

Amal a-t-elle bénéficié de l'aide de nettoyeurs du web ? L'idée ne semble pas franchement farfelue. Surtout lorsque dans son entourage, surgit aussi le nom d'Eric Schmidt, ex-PDG de Google ! En mai 2013, elle aurait organisé un dîner chez Loulou's, un établissement londonien, à l'occasion de la sortie de son livre, *The New Digital Age*. « *Ils étaient très proches*, expliquait une source à l'*Evening Standard* en avril 2014. *Elle a géré la soirée et a été une hôtesse parfaite.* » On n'en saura pas plus sur les relations entre la brune et le boss de Google, connu pour ses aventures extraconjugales. Et bizarrement, le scoop ne sera que très peu repris sur le moteur de recherche… Avec lui, en tout cas, l'avocate a dû approfondir sa connaissance d'Internet, et mieux saisir comment agir sur sa e-réputation. Il est en tout cas certain que la Toile ne porte que peu de traces de son existence avant sa rencontre avec l'acteur, en 2013.

Le passé propret ? C'est fait. Mais c'est également au présent qu'Amal se construit un profil sans aspérités. Depuis George, elle semble en effet choisir ses affaires avec un soin particulier. À partir de 2013, ses causes les plus médiatiques seront la restitution des frises du Parthénon, la défense de l'ex-président des Maldives et la reconnaissance du génocide arménien. Des sujets qui, dans l'esprit du public, suscitent plutôt le consensus. En revanche, en août 2014, elle refuse une mission délicate : devenir membre de la Commission d'enquête du Conseil des droits de l'homme de l'ONU sur les violations des lois humanitaires dans les opérations militaires israéliennes à Gaza. Raison invoquée ? Un emploi du temps surchargé. «*Je suis horrifiée par la situation dans la bande de Gaza. [...] Je suis honorée par cette offre mais en raison de certaines contraintes – incluant huit affaires en cours – je ne peux malheureusement pas accepter cette fonction*», expliquera-t-elle. C'est étonnant de voir l'ambitieuse avocate décliner une telle proposition car, outre son implication à l'ONU, elle est très concernée par les conflits au Moyen-Orient, depuis sa plus tendre enfance. Si Amal a grandi en Angleterre, sa famille a toujours revendiqué ses origines libanaises. Sa mère Baria n'a en outre pas manqué de clarifier ses positions sur la question. «*La dernière chose que je ferais dans ma vie serait de protéger ou défendre Israël*, affirmait la journaliste en 2009, lors d'un «Doha Debate» au Qatar. *Je suis libanaise. J'ai dû quitter mon pays chéri à cause de son invasion par Israël, et Israël continue d'envahir le Liban quand ça lui chante.*» On peut donc légitimement être surpris qu'Amal ait renoncé à l'opportunité de s'impliquer avec l'ONU sur un sujet qui a tant touché sa famille. À moins qu'elle n'ait voulu éviter la polémique, maintenant qu'elle est une personne publique. D'autant que si sa communication est rodée sur Internet, chaque article sur elle suscite des réactions violentes. La section commentaires de tout papier grouille même souvent de messages haineux, attaquant ses origines et sa religion, et ressassant ses liens avec des clients terroristes.

Ces mises en cause ont parfois dépassé le cadre du *troll*, se faisant à l'occasion très officielles. Ainsi, ce 19 juin 2015, à Atlanta. Ce jour-là, au Georgia World Congress Center, le palais des congrès de la ville, se tient l'assemblée générale annuelle de Time Warner. Quand soudain, entre deux considérations générales, surgit une question très personnelle : « *Je voudrais connaître le montant d'une rémunération. Combien avez-vous payé George Clooney pour* Gravity *et* Argo ? » demande ainsi une actionnaire à Jeff Bewkes, le PDG de la société. Avant de se lancer dans une diatribe de plusieurs minutes contre l'acteur, mais surtout contre son épouse, accusant le couple de fournir des fonds aux ennemis de l'Amérique. « *On nous présente dans la presse Amal Alamuddin comme une avocate sexy et internationale, qui œuvre pour les droits civils. Mais ce n'est pas ce qu'elle est. Elle se spécialise dans le droit criminel. C'est une avocate qui rend leur liberté aux pires tyrans.* » La mise en cause désarçonne le boss de Time Warner, qui demande alors à son interlocutrice de quitter le terrain de la politique. « *Oui, mais je voudrais savoir combien a reçu Monsieur Clooney, et combien d'argent ira donc au Liban et à sa femme* », réplique l'actionnaire. Elle n'aura évidemment pas sa réponse, Jeff Bewkes reprenant vite la parole. L'entourage de George se charge de faire taire les questions non souhaitées. Car l'acteur tient particulièrement à préserver l'image publique de sa femme. Au-delà d'une simple affaire de sentiments, il a désormais besoin d'elle à ses côtés.

Un gain réciproque

Devenir la femme de George Clooney a représenté un bond incontestable dans la carrière d'Amal. Mais à l'inverse, qu'a-t-elle apporté à l'acteur ? S'afficher avec une belle femme à son bras ? C'était déjà le cas avec ses anciennes conquêtes. Avoir une partenaire dont il admire le parcours ? Cela n'avait jamais semblé lui manquer auparavant. Mais avec l'avocate, certaines visées sont en revanche enfin à portée de main. « *Il a de grandes ambitions politiques*, expliquait fin 2014 un proche au *Mirror*. *Il prévoit de s'investir de plus en plus dans le secteur de l'humanitaire. Avoir Amal à ses côtés lui apporte une tout autre crédibilité.* » Un peu à la façon d'un John-John Kennedy, soudain pris au sérieux en rencontrant Carolyn Bessette. Après avoir enchaîné les histoires médiatiques avec des stars *flashy* comme Sarah Jessica Parker,

Daryl Hannah ou Madonna, il avait gagné une vraie légitimité grâce à cette jeune femme brillante, de bonne famille. En dépit de leur histoire houleuse, et de son ancien profil de play-boy.

Avec Amal, George semble avoir trouvé une partenaire à la hauteur de son destin. Il est évident qu'elle lui apporte une légitimité intellectuelle. De plus, les références de l'avocate comblent certaines de ses lacunes. Lui qui n'est diplômé ni de la Northern Kentucky University, ni de l'université de Cincinnati, où il a suivi des cours, pourra s'appuyer sur le parcours sans faille de sa femme. Quand la quintessence de Hollywood rencontre l'élite d'Oxford, cela fait des étincelles, forcément.

Sans compter qu'Amal pourrait également lui permettre de clore les rumeurs concernant sa sexualité. Une vraie nécessité dans un pays comme les États-Unis, où l'homosexualité ne s'affiche que peu dans le monde politique. *« George Clooney sera président un jour*, prévoyait l'acteur Rupert Everett il y a quelques années. *S'il est hétéro, je vous assure qu'il sera président.* » Un critère que nous explique aussi la politologue franco-américaine Nicole Bacharan[1]. *« À la présidence des États-Unis, les Américains élisent un couple. Le conjoint du président n'a pas de rôle constitutionnel,*

---

1. Entretien avec les auteurs, le 9 mars 2016.

mais c'est un couple qui incarne la nation. » Dans un pays où les valeurs traditionnelles revêtent une telle importance, faire taire les doutes devient primordial. « *Dans le contexte actuel immédiat, il faut une famille à la Maison-Blanche,* nous confirme le politologue François Durpaire, spécialiste des États-Unis[1]. *Les Obama, avec leurs filles adolescentes, ont été assimilés à une famille royale. Donald Trump ne monte pas non plus sur le podium sans sa famille, et Hillary Clinton parle sans cesse de Chelsea. Les valeurs familiales sont très importantes dans les campagnes. Il est aussi notable que George Clooney ne se soit pas casé avec une actrice hollywoo-dienne. Sa femme est une garantie de sérieux pour lui, elle le fait sortir du showbiz pour l'enraciner dans quelque chose de plus crédible. Cela a du sens, cela donne une validité à son engagement politique. Dans une campagne, il est évident qu'elle aurait un rôle.* »

De quoi faire murmurer à certains journalistes améri-cains que le mariage du couple serait très opportun. Et ces bruits se sont faits extrêmement précis le 11 janvier 2015, à l'occasion de la grande fête hollywoodienne des Golden Globes. Ce soir-là, les médias n'ont d'yeux que pour George et son épouse. Tous deux sont radieux en noir et blanc, mais ont pris soin d'arborer un badge « Je suis Charlie », au soir

---

1. Entretien avec les auteurs, le 10 mars 2016.

des marches qui ont mobilisé la France. L'acteur traduira sur scène ce même équilibre entre glamour et politique en recevant le DeMille Award, qui récompense l'ensemble de sa carrière. « *L'année a été très bonne pour moi,* explique-t-il dans son discours de remerciement. *C'est vraiment troublant de trouver quelqu'un à aimer. Surtout lorsque vous avez attendu toute votre vie pour ça. Amal, quelle que soit l'alchimie qui nous a réunis, je ne pourrais être plus fier d'être ton mari.* » Mais George transforme aussitôt cette déclaration en plaidoyer politique, évoquant les événements qui viennent alors de secouer la France. « *Aujourd'hui a été une journée extraordinaire. Des millions de gens ont marché non seulement à Paris mais dans le monde entier. Il y avait des chrétiens, des juifs, des musulmans, des chefs d'État de tous horizons. Ils n'ont pas défilé pour protester mais pour défendre l'idée que nous n'avancerons pas dans la peur. Je suis Charlie !* » Ce mélange résume bien le duo que forment George et Amal, et la subtile façon dont ils lient leur vie privée à leurs ambitions publiques.

Mais ce soir-là, un journaliste va érafler l'image très lisse du couple. Charles C. Johnson, le fondateur du site indépendant *GotNews,* surprend sur Twitter. « *George Clooney se prépare à entrer en politique. Vous verrez* », poste-t-il d'abord. Puis : « *Son faux mariage fait partie du changement d'image dont il a besoin pour être élu.* » Et enfin : « *Tout le monde sait bien à West Hollywood* [une ville connue pour sa communauté gay et bisexuelle] *que George Clooney n'est pas attiré par les femmes.* »

Un coup de foudre sur commande ?

De même, quelques personnes mettront en doute la version que le couple a toujours donnée de sa rencontre. Selon certains, ils ne se seraient pas connus à un gala de charité en Italie, à l'automne 2013, mais dès le mois de mai… Et ils auraient mis du temps à finaliser les modalités de ce que serait leur relation, entourés d'avocats et de conseillers en image ! On est très loin du heureux hasard que la star vantait en février 2016 dans les pages de *Hello !* « *Je suis un homme chanceux, s'extasiait-il. J'ai rencontré la femme que je rêvais d'épouser et ça a été un gros coup de chance. Je crois beaucoup dans le fait que la chance va et vient dans la vie.* » Cette candeur, un rien surjouée de la part du plus politique des acteurs, correspond au storytelling que s'imposent les dirigeants américains. « *Souvenez-vous de la vidéo des Obama pour la Saint-Valentin,* nous rappelle Nicole Bacharan, évoquant les messages qu'avaient enregistrés Barack et Michelle en février 2016. *Ils mettent en scène leur amour. Leur vie de couple est au service de leur politique. En France, ce processus n'est pas encore assumé. Mais aux États-Unis, les politiques acceptent parfaitement ces règles du*

jeu. Ils n'imaginent pas pouvoir échapper au regard public[1]. »
Une nécessité que les Clooney appréhendent bien.

Aux États-Unis, de nombreux journalistes semblent donc convaincus de l'existence d'un contrat bien précis entre George et Amal. Des rumeurs que ceux-ci démentent en médiatisant toujours plus leur histoire, au fil des déclarations enflammées de l'acteur ou de poses ultra-tendres sur les tapis rouges. Les photos officielles se substituent alors aux clichés volés, quasiment inexistants pour le couple. Dans les agences, point d'images de vacances ou d'escapades café du dimanche matin. Seules photos non posées : quelques sorties de restaurants, qu'il s'agisse d'établissements trendy de Los Angeles ou du Gatto Nero et du Harry's Bar, connus de tous comme étant les QG de l'acteur au lac de Côme. Des lieux qui restent extrêmement publics, et ne demandent pas aux paparazzis de faire preuve de grands talents d'enquêteurs. Ces photos constituent donc la bonne façon d'immortaliser les moments passés ensemble…

Contrôlant totalement son image, le couple fait alors très rarement la couverture des magazines people : il n'y a pas de disputes dans la rue ou de clichés *hot* sur une plage à commenter. Désormais, la seule problématique de la presse

---

1. Entretien avec les auteurs, le 9 mars 2016.

au sujet des Clooney tourne autour de la naissance éventuelle d'un enfant. Les journaux américains ont d'ailleurs prêté à la brune plusieurs grossesses que l'acteur doit démentir via ses attachés de presse. Un drôle de contraste avec les photos de ses ex – Elisabetta Canalis et Stacy Keibler – en train de pouponner. À l'heure où nous écrivons ces lignes, l'arrivée d'un bébé ne semble pas le projet le plus pressant de George et Amal. Les responsabilités qu'ils visent sont ailleurs, comme le mandat qui les lie.

Pour le meilleur et pour l'empire

Plus qu'un couple, seraient-ils donc une équipe, taillée pour réussir? On peut le penser. « *Tout à coup, George Clooney acquiert une toute nouvelle stature,* analyse Peggy Siegal, la plus redoutée des attachées de presse américaines[1]. *Celle d'un homme marié à une femme à la fois glamour et intelligente.* » Ses origines orientales pourraient aussi représenter un atout supplémentaire pour un George candidat, dans le contexte actuel. À eux deux, les Clooney sont américano-anglo-libanais : de quoi combler le camp démocrate, qui ne demanderait pas mieux que de voter pour eux.

En juillet 2014, l'acteur poussait d'ailleurs un coup de gueule révélateur. Lui qui attaque très peu les magazines

---

1. Citée par le *New York Times*, avril 2015.

people, et ne réagit que par l'humour aux rumeurs le concernant, s'en prenait violemment au *Daily Mail*. L'objet de sa colère ? Un article dans lequel le quotidien anglais prétendait que la mère d'Amal désapprouvait son futur mariage avec l'acteur pour une question religieuse. À en croire le journal, elle tenait absolument à ce que sa fille épouse un Druze. Le papier déclenche les foudres de la star, qui communique alors une lettre ouverte à *USA Today*. « *Tout d'abord, cette histoire n'a rien de vrai. La mère d'Amal n'est même pas druze. [...] Mais ce mensonge révèle de plus larges problèmes. De nos jours, il est irresponsable et dangereux d'exploiter des différences religieuses qui n'existent pas.* » Une prise de position lourde de sens pour un acteur aussi politisé que George Clooney. L'idée qu'il veut porter avec son couple est celle d'un duo fédérateur, aussi uni que cosmopolite. Leurs noces italiennes refléteront parfaitement cet équilibre entre Orient et Occident, avec des invités venus du monde entier. « *Ce jour-là, a émergé un ambitieux couple politique, un couple qui prévoit de devenir une force avec laquelle il faudra composer*, analysait en octobre 2014 la psychothérapeute SaraKay Smullens sur le site du *Huffington Post*. *Il ne s'agissait pas seulement d'un mariage mais d'un coming-out politique.* » George et Amal incarneront alors un véritable programme. Une vision martelée avec une telle dose de charme que le public ne pourra qu'y adhérer. « *Dire qu'on me prévenait qu'entre nous, ça ne durerait pas !* » notait, ravi, l'acteur sur le plateau de Stephen Colbert fin 2015. C'était compter sans leur vision à long terme.

Des projets que George et Amal n'ont pas tardé à matérialiser dans les faits. Au quotidien, ils se consacrent de plus en plus à développer leur sphère politique, invitant par exemple des personnalités triées sur le volet dans leur maison anglaise. « *Nous ne recevons pas beaucoup de célébrités,* expliquait-il au *Telegraph. Nous invitons plutôt des politiciens. Cela nous intéresse moins de fréquenter des stars que des gens avec lesquels nous travaillons sur ces autres sujets.* » La politique occupe désormais énormément le couple. À commencer par la crise en Syrie, à laquelle George dit consacrer deux ou trois jours par semaine ! Après s'être entretenu avec Angela Merkel, en février 2016, le couple rencontrait d'ailleurs des réfugiés à Berlin. Sur une vidéo de l'International Rescue Committee, George et Amal les écoutent attentivement. Puis, se mettant eux-mêmes en scène, ils évoquent les migrations de leurs propres familles – du Liban pour les Alamuddin et d'Irlande pour les Clooney. L'acteur n'a pourtant pas vécu cette expérience, qui remonte à ses aïeux. Mais pour s'ancrer dans l'actualité, il est prêt à mobiliser le passé. Avant d'expliquer au monde la nécessité d'ouvrir les yeux, remplissant encore un rôle de lanceur d'alerte. Ce jour-là, entre promotion et diplomatie, George et Amal apparaissent plus que jamais à l'unisson.

Désormais, la plupart de leurs combats sont d'ailleurs communs. Le 24 avril, à Erevan, les photographes auront ainsi la surprise de découvrir George Clooney en première ligne des commémorations du génocide arménien, entre Charles Aznavour et le président Sargsian. Le soir même, il y remettait le prix Aurora pour l'éveil de l'humanité, qui récompense «les Justes». On ne savait pas l'acteur particulièrement sensibilisé à la cause arménienne. Oui, mais sa femme l'est. Elle s'en est même fait le porte-parole devant la Cour européenne des droits de l'homme.

Aujourd'hui, notre *power couple* fait donc front. En avril 2016, à quelques jours d'intervalle, tous deux critiquaient ainsi avec autant de sévérité Donald Trump, cet «*opportuniste et fasciste xénophobe*», comme George le qualifie. En s'engageant publiquement contre le candidat, en diversifiant ses interventions humanitaires, le comédien s'affirme ainsi comme un acteur politique avec lequel il faut compter.

Un acteur d'autant plus convaincant que sa femme avance à ses côtés. Pour le meilleur, le pire, et un mandat de quelques années…

CONCLUSION

« *Clooney est un enfant. Et une personne très étonnante. Lors d'une réunion avec les gens de Nespresso, il peut dire : "On va aller au Soudan du Sud, donner de l'argent aux paysans, stopper les guérillas, planter des caféiers, etc." Et le soir même, à table, il va mettre un coussin péteur sous votre siège et se marrer comme un fou.* » Voilà comment, en mars 2016, Jean Dujardin décrivait son copain George dans les pages du magazine *Elle*. Car l'acteur est un caméléon capable de s'adapter à tous les milieux. Tantôt engagé, tantôt léger, toujours charmeur. Un homme préparé dès l'enfance à être un personnage public, mais qui préserve jalousement une partie de sa vie privée.

De lui, les médias ont presque tout dit. Mais aujourd'hui, une seule question demeure : quand va-t-il pleinement assumer ses ambitions politiques ? En 2018, lors de la prochaine élection des gouverneurs des États-Unis ? Il sera alors âgé de cinquante-sept ans, et ce serait donc le bon moment. D'autant que cela fait déjà quelques années que les Démocrates le réclament. «*La moitié des Libéraux que je connais voudraient que George Clooney devienne président*», estimait dès 2011 le journaliste Richard Corliss dans le *Time*.

Mais pour l'instant, l'acteur se contente de la voie qu'il s'est tracée, entre lobbying et diplomatie. «*J'ai couché avec trop de femmes, j'ai pris trop de drogues et j'ai trop fait la fête*[1]», oppose-t-il à ceux qui lui suggèrent de briguer un mandat. Son constat semble pourtant largement exagéré ! Si George a mené la grande vie, il a une telle maîtrise de sa communication que très peu de choses ont fuité dans la presse.

De plus, cet argument ne tient plus vraiment, et ce grâce à deux noms. Celui d'Amal Alamuddin tout d'abord, dont le CV comble ses propres lacunes, et dont les origines anglo-libanaises confortent sa stature internationale. Et celui de l'homme que George Clooney abhorre, Donald Trump. L'entrepreneur a complètement cassé les codes en se présentant aux primaires sans avoir jamais été élu, et a poussé la pipolisation à son paroxysme en se vendant comme une marque.

Plus que jamais, une candidature comme celle de George Clooney est alors plausible aux États-Unis. À condition

---

1. Entretien accordé à *Newsweek*, février 2011.

sans doute qu'il américanise son discours, et affirme une vision économique au-delà des engagements humanitaires. Mais pour l'heure, la star semble se satisfaire de sa position de lanceur d'alerte, accélérant avec une certaine frénésie ses interventions philanthropiques. Les marches du pouvoir, il les a de toute façon gravies, avec une stratégie implacable derrière ses sourires et ses « *what else ?* ».

REMERCIEMENTS

Yves Derai et Michel Taubmann, pour leur confiance et leurs précieux conseils.

Annie, Ludivine et Gaëtane pour leur relecture tellement attentive.

Nicole Bacharan, François Durpaire, Michel Collon, Natalia Naish, et tous ceux dont les éclairages, parfois anonymes, nous ont permis de mieux saisir la « stratégie Clooney ».

Les habitants de Laglio pour leur gentillesse et leurs nombreuses anecdotes.

Et Najat Rahmouni, qui nous a lancé l'an dernier, pendant un déjeuner : « *Et si vous écriviez un livre, les filles ?* »

TABLE DES MATIÈRES

Achevé d'imprimer en Espagne par
Industria gráfica Cayfosa

ISBN : 978-2-35417-517-7
Dépôt légal : mai 2016

Y00 110 /61

Cet ouvrage a été mis en page par IGS-CP
à L'Isle-d'Espagnac (16)